Normas Práticas Para a Interpretação do Mapa Astral

Stephen Arroyo

Normas Práticas Para a Interpretação do Mapa Astral

Organização
Jerilynn Marshall

Tradução
Carmen Youssef

Editora
Pensamento
SÃO PAULO

Título do original: *Chart Interpretation handbook — guidelines for understanding the essentials of the birth chart.*
Copyright © 1989 by Stephen Arroyo.
Publicado pela primeira vez pela CRCS Publications, P. O. Box, 1460 — USA — Sebastopol, Califórnia, 95473.

2ª edição 2011.
5ª reimpressão 2021.

Todos os direitos reservados. Nenhuma parte desta obra pode ser reproduzida ou usada de qualquer forma ou por qualquer meio, eletrônico ou mecânico, inclusive fotocópias, gravações ou sistema de armazenamento em banco de dados, sem permissão por escrito, exceto nos casos de trechos curtos citados em resenhas críticas ou artigos de revistas.

A Editora Pensamento não se responsabiliza por eventuais mudanças ocorridas nos endereços convencionais ou eletrônicos citados neste livro.

Coordenação editorial: Denise de C. Rocha Delela e Roseli de S. Ferraz
Projeto gráfico e revisão: Verba Editorial

CIP-Brasil Catalogação na Publicação
Sindicato Nacional dos Editores de Livros, RJ

A815n
2 ed.
Arroyo, Stephen 1946-
  Normas práticas para a interpretação do mapa astral / Stephen Arroyo ; organização Jerilynn Marshall ; tradução Carmen Youssef. — 2ª edição — São Paulo : Pensamento, 2011.
  184 p. : il. ; 23 cm.

  Tradução de: Chart interpretation handbook — guidelines for understanding the essentials of the birth chart.

  ISBN 978-85-315-0468-6

  1. Astrologia I. Marshall, Jerilynn. II. Título.

11 - 04513   CDD - 133.5
                                               CDU - 133.52

Índice para catálogo sistemático:
1. Astrologia   133.5

Direitos de tradução para a língua portuguesa
adquiridos com exclusividade pela
EDITORA PENSAMENTO-CULTRIX LTDA. Rua
Dr. Mário Vicente, 368 - 04270-000 - São Paulo, SP
Fone: (11) 2066-9000
E-mail: atendimento@editorapensamento.com.br
http://www.editorapensamento.com.br
que se reserva a propriedade literária da tradução. Foi
feito o depósito legal.

Para Kathy, Julie, Opa, Nathan e Kimberley, graças a quem pude deixar de lado minhas ocupações do dia a dia para dedicar-me outra vez a escrever.

Agradecimentos

Sou especialmente grato a Jerilynn Marshall, que trabalhou este texto com alegria e excepcional nível de atividade. Sem seu notável empenho, sem sua capacidade de sintonizar-se com as sutilezas de significado e linguagem que eu tinha em mente — para não falar do seu contínuo incentivo durante mais de um ano — este livro não poderia ter sido escrito. Suas contribuições inovadoras superam de longe o que em geral se entende por "editoria de texto". Sou muito grato pela inestimável ajuda de Jerilynn a este projeto.

Também sinto profunda gratidão pelos aprimoramentos editoriais e pelas perspicazes sugestões de minha editora e amiga de muitos anos, Barbara McEnerney, que há mais de uma década ajuda a dar forma a muito do que escrevo. Sua intuição, seu profundo conhecimento de astrologia e sua apurada discriminação acrescentaram muito ao valor deste livro.

Finalmente, eu gostaria de agradecer a todas as pessoas que me incentivaram firmemente a voltar a escrever, bem como a todos aqueles que me deram opiniões retificadoras e/ou ratificadoras com relação à forma e ao conteúdo deste livro. Agradeço em especial a Julie, Tony e Mike.

Sumário

Introdução *13*

1. A astrologia no limiar de um salto *23*
O futuro da astrologia como ciência e profissão *31*

2. Como usar este livro *35*
Conceitos-chave e definições *44*

3. Os quatro elementos e os doze signos *47*
Os signos de Fogo: Áries, Leão e Sagitário *49*
Os signos de Ar: Gêmeos, Libra e Aquário *50*
Os signos de Água: Câncer, Escorpião e Peixes *50*
Os signos de Terra: Touro, Virgem e Capricórnio *51*

4. Os planetas *53*
Conceitos-chave dos planetas *53*
Expressão positiva-negativa dos princípios planetários *54*
Os planetas nos elementos *55*
  O Sol *55*
  A Lua *57*
  Mercúrio *58*
  Vênus *59*
  Marte *61*
  Júpiter *62*
  Saturno *63*
Urano, Netuno e Plutão nos elementos *64*

5. Os planetas nos signos *65*
Signos zodiacais e seus conceitos-chave *65*
Funções dos planetas nos signos *66*

O Sol nos signos — diretrizes de interpretação *67*
A Lua nos signos — diretrizes de interpretação *71*
Mercúrio nos signos — diretrizes de interpretação *75*
Vênus nos signos — diretrizes de interpretação *79*
Marte nos signos — diretrizes de interpretação *83*
Júpiter nos signos — diretrizes de interpretação *88*
Saturno nos signos — diretrizes de interpretação *93*
Urano, Netuno e Plutão nos signos *97*

6. O ascendente — ou signo em elevação — e o meio do céu *99*
Conceitos-chave do ascendente *99*
O elemento do ascendente *100*
O regente do ascendente *102*
  Posição do planeta regente por signo *102*
  Posição do planeta regente por casa *102*
Aspectos com o ascendente *103*
Diretrizes para interpretar o ascendente *105*
  Ascendente Áries *108*
  Ascendente Touro *108*
  Ascendente Gêmeos *109*
  Ascendente Câncer *109*
  Ascendente Leão *110*
  Ascendente Virgem *110*
  Ascendente Libra *111*
  Ascendente Escorpião *111*
  Ascendente Sagitário *112*
  Ascendente Capricórnio *112*
  Ascendente Aquário *113*
  Ascendente Peixes *114*
O meio do céu *114*
O planeta regente do meio do céu *115*
Planetas na 10ª casa e aspectos com o meio do céu *115*

7. As casas — diretrizes de interpretação *119*
   A abordagem holística da interpretação das casas *119*
      Casas de Água ("A triplicidade da psique") *120*
      Casas de Terra ("A triplicidade da riqueza") *121*
      Casas de Fogo ("A triplicidade da vida") *121*
      Casas de Ar ("A triplicidade do relacionamento") *121*
   As casas de Água *122*
   As casas de Terra *124*
   As casas de Fogo *125*
   As casas de Ar *127*
   Diretrizes de interpretação para entender os posicionamentos por casa *128*
   Diretrizes de interpretação para a posição por casa de cada planeta *130*
   Um ponto crucial na interpretação das casas *132*
   Diretrizes de interpretação para os signos das cúspides das casas *133*

8. Como entender os aspectos planetários *135*
   Uma lei para interpretar os aspectos *139*
   Os aspectos maiores *139*
      Conjunção *139*
      Semissextil *140*
      Sextil *140*
      Quadratura *140*
      Trígono *141*
      Quincunce *141*
      Oposição *142*
   Órbitas e interações planetárias *143*
   Diretrizes sobre intercâmbios e combinações planetárias *145*
   Aspectos com o Sol *147*
   Aspectos com a Lua *151*
   Aspectos com Mercúrio *154*

Aspectos com Vênus *156*
Aspectos com Marte *159*
Aspectos com Júpiter *160*
Aspectos com Saturno *162*
Aspectos com o ascendente *164*
Aspectos com os planetas exteriores *166*

9. Diretrizes sobre a síntese do mapa *169*
Fatores que enfatizam cada princípio planetário *172*
Como entender os temas do mapa natal *176*
Esboço de interpretação de mapas *180*

Introdução

Valorizamos as coisas feitas pelo homem, mas demonstramos escasso respeito pelo que Deus criou.

Verdade eterna, do Mestre Charan Singh

Desde a publicação de meus primeiros livros sobre astrologia, recebo continuamente cartas do mundo todo relatando como o material desses livros é usado por alunos e profissionais da astrologia, bem como por pessoas que, sem qualquer intenção de profissionalização, fazem a astrologia como instrumento de autoajuda. Muitas pessoas grifam os livros ou fazem comentários em suas margens; outras distribuem fotocópias de vários trechos a clientes, alunos ou amigos; outras, ainda, falam-me da utilidade que teria um guia indicativo ou uma explicação mais extensa sobre a maneira de aplicar determinados princípios interpretativos básicos. Até hoje, entretanto, não achei que fosse necessário produzir material adicional, pois acreditava que meu papel primordial era o de delinear os princípios e a abordagem, que verifiquei serem corretos e práticos, com a maior clareza possível — clareza que eu considerava premente para tornar possível a existência de uma verdadeira psicologia astrológica (ou psicologia cósmica) bem fundada.

Além disso, sempre achei que seria muito melhor se os alunos de astrologia aprendessem a pensar por si mesmos — a *pensar astrologicamente* em relação à pessoa em questão, em vez de seguirem cegamente rígidas regras tradicionais de interpretação ou fiarem-se nas "interpretações" simplistas encontradas em tantos receituários astrológicos. Eu achava que seria importante se os alunos fizessem o esforço extra de aplicar as diretrizes e princípios comprovados, já expostos por mim, a casos e circunstâncias específicos; achava também que a possibilidade de obter uma precisão considerável com razoável rapidez seria uma agradável surpresa para o aluno, além de alçá-lo a um novo patamar de compreensão e competência. Além do mais, meus livros já continham muitas diretrizes interpretativas, exemplos e históricos de casos — muito mais, na verdade, do que usualmente se encontra em livros astrológicos, cuja falta de exemplos tirados da vida real é uma contínua frustração para os alunos inteligentes que tentam dominar os elementos básicos do conhecimento astrológico.

Contudo, acabei concluindo que uma ampliação dos princípios fundamentais analisados em meus livros, incluindo diretrizes interpretativas mais detalhadas, é, de fato, extremamente necessária. Parece-me uma lacuna importante da literatura astrológica a falta de uma compilação explícita e concisa de diretrizes interpretativas que sejam de fácil acesso e cuja exatidão seja útil tanto para os alunos que ainda estão começando a pensar astrologicamente como para os mais adiantados, os professores e os profissionais que precisam de um livro de referência rápida. Este livro é uma tentativa de criar um manual de fácil compreensão reunindo os significados de enorme âmbito de aplicação procedentes dos fatores astrológicos básicos. Este livro não pretende apenas facilitar a localização de conceitos fundamentais e detalhes de interpretação de mapas, dispersos em meus livros; seu propósito é também o de orientar as pessoas sobre a forma de pensar astrologicamente, algo que um simples guia é incapaz de fazer. Também fiz com que o livro enfocasse os fatores interpretativos *mais importantes* de qualquer mapa natal, excluindo todos aqueles fatores secundários que tanto confundem os iniciantes, além de, muitas vezes, desviarem desnecessariamente a atenção dos profissionais mais experientes. Também me concentrei unicamente na compreensão do mapa natal, deixando a análise do assunto de trânsitos e progressões para outro volume.

Este manual é, sob muitos aspectos, uma sequência e uma ampliação do material apresentando em *Astrology, psychology and the four elements** e *Astrologia, karma e transformação*, meus dois primeiros livros, que mostraram ter extrema popularidade e contínua aceitação no mundo todo. Sinto profunda gratidão pelos leitores e professores que continuam a usar e a recomendar meus livros, e agradeço o seu incentivo. Este volume começa onde meus livros anteriores pararam, pois mostra como combinar e usar as principais palavras-chave, conceitos e frases interpretativas, sempre mantendo a ênfase sobre os significados *essenciais* que, por sua vez, desencadeiam uma série de introvisões e significados correlatos.

Ao projetar este livro, deparei-me com um dilema: eu queria falar das normas de interpretação usando uma linguagem extremamente precisa, e conservar ao mesmo tempo a abordagem holística, flexível e aberta que foi tão importante e tão amplamente apreciada em meus livros anteriores. A primeira palavra do título deste livro, *normas*, talvez seja o conceito central deste trabalho. O que falta a muitos livros de astrologia são *normas* inteligentes, linguisticamente corretas e precisas, para interpretar os numerosos detalhes e as combinações quase infinitas encontradas em qualquer mapa natal. Não é de surpreender que quem começa a estudar astrologia fique confuso, frustrado, desanimado e muitas vezes completamente perdido em meio aos detalhes insignificantes que permeiam a maioria dos livros de texto! O que eu ouço constantemente de pessoas inteligentes que tentam estudar e entender a astrologia por conta própria é que elas simplesmente não se enquadram nos bem-arranjados parágrafos de "interpretações" que, supostamente, deveriam aplicar-se a seu caso. É natural, portanto, que questionem a precisão e a utilidade da própria astrologia, em vez de perceber que o livro que estão usando é apenas um dos muitos que parecem acondicionar o "conhecimento" astrológico para consumo do público em ge-

---

* *Astrologia, psicologia e os quatro elementos*, Editora Pensamento, São Paulo, 5ª ed., 1989.

ral, mas que deixam de instilar qualquer compreensão real ou de transmitir qualquer percepção verdadeira com a qual a pessoa possa identificar-se e beneficiar-se.

A tendência moderna no sentido de substituir qualidade por quantidade é extremamente comum nos receituários astrológicos de nossos dias, e essa tendência funesta é ainda mais flagrante na "astrologia de computador". A computadorização da astrologia, atualmente em expansão tão rápida (primordialmente porque oferece a todos os tipos de pessoas — as habilitadas e as completamente incompetentes em astrologia — uma oportunidade de ganhar mais dinheiro mais depressa), está gerando um número fantástico de "interpretações" superficiais, indiferenciadas e completamente inúteis. Nesse tipo de verborreia astrológica de produção automática, ninguém jamais se preocupa em definir as palavras usadas, nem em usar palavras precisas ou com nuanças de significados mais sutis. O uso da astrologia para proveito do homem requer maior sofisticação e maior consideração pela complexidade do que deixam patentes essas detestáveis deturpações da verdadeira astrologia.

Portanto, ao privilegiar neste livro a linguagem precisa, simples e profunda, sem dúvida me coloco contra o feitio da maior parte do material astrológico produzido atualmente, que parece estar perdido num festival de palavras, em detalhes astrológicos menores ou nas duas coisas. Se os conceitos-chave, as frases e as diretrizes deste livro tiverem sido bem escolhidos, eles irão penetrar em verdades e *insights* essenciais com quais as pessoas poderão identificar-se e aprender. Até que ponto essa tentativa foi bem-sucedida, cabe ao leitor determinar, mas de uma coisa estou certo: esse enfoque sobre os *fundamentos* do mapa natal está correto. E está correto porque: (1) os fatores essenciais são confiáveis, quando adequadamente entendidos; e (2) são os fatores fundamentais principais de um mapa que refletem com maior nitidez os grandes temas fundamentais da vida da pessoa. *"A interpretação de mapas" eficaz gira em torno da sintonização, compreensão e, em seguida, iluminação dos grandes temas da vida da pessoa.* Portanto, muitos dos complexos métodos astrológicos e dos fatores astrológicos menores tantas vezes promovidos em livros, palestras, artigos e trabalhos computadorizados por correspondência não revelarão nenhum tema maior da vida da pessoa que os fatores e métodos tradicionais, *adequadamente entendidos*, já não tenham indicado claramente. Como eu já disse em conferências para astrólogos, se eles privilegiarem o banal, estarão banalizando a astrologia e — indo mais longe — dando aos astrólogos uma imagem ainda mais banal do que eles já têm em nossa sociedade.

Reproduzo abaixo um trecho de uma de minhas palestras, que vale a pena repetir aqui para explicar melhor por que este novo livro precisa enfocar exclusivamente os fatores interpretativos básicos:

"Em vez de ajudar-nos a sintetizar o mapa e, dessa forma, *avaliar significativamente* os grandes temas da vida de uma pessoa, a introdução de um número demasiado grande de fatores no mapa dificulta a tarefa de distinguir os temas significativos dos detalhes periféricos. Como se pode racionalizar quase tudo por meio do mapa natal, e mais ainda na medida em que forem usados mais pontos, métodos e "planetas" menores, no meu entender deve-se usar um mínimo de fatores *maiores confiáveis* para obter uma visão clara do cliente e de sua situação. Caso contrário, o que você vai projetar para o cliente é confusão, e não ordem.

Da mesma forma que os controladores de tráfegos nos aeroportos têm dificuldade em diferenciar aviões de outras estáticas na tela do radar e em determinar, quando há muitos aviões no céu ao mesmo tempo, qual deles está mais próximo, os astrólogos que usam fatores celestes em demasia terão dificuldade cada vez maior em discernir o que é significativo e o que é insignificante e, dessa forma, terão propensão cada vez maior a transmitir confusão, ilusão e observações imprecisas a clientes que estão em busca de clareza. As pessoas não procuram astrólogos para ficarem confusas nem para recolherem milhões de detalhes triviais e especulações; elas vão em busca de um pouco de clareza e direção para sua vida. Mesmo quando elas querem que você faça previsões, trata-se de uma forma de pedir esclarecimento."

Mencionei acima a importância que tem, para conceito deste livro, a escolha cuidadosa de palavras-chave e diretrizes interpretativas. Talvez eu deva explicar sucintamente por que essa precisão de linguagem é tão crucial. Estou empenhado em conseguir precisão de expressão e alto nível de confiabilidade de interpretação astrológica desde 1967. As velhas categorias da astrologia antiquada — preto/branco, bom/mau, afortunado/desafortunado — foram totalmente incapazes de me dar a compreensão ou a confiabilidade que eu buscava. Como afirmou o historiador de Harvard, Dr. John King Fairbank: "Não é possível pensar criticamente sem criticar as categorias em termos das quais se pensa." Contudo, jamais, naquela época, vi os pressupostos fundamentais e as categorias usados pelos astrólogos em sua linguagem interpretativa serem questionados, desafiados ou analisados criticamente — aliás, até que descobri o trabalho pioneiro de Dane Rudhyar.

Depois de aberta a porta para um novo tipo de compreensão da astrologia, foi só uma questão de tempo e muitos, muitos diálogos com pessoas, conversando sobre elas e seus mapas, até eu concluir que a maior força da astrologia está na descrição que se faz da pessoa interior: as motivações e necessidades primordiais, a situação interior em qualquer época, e até a *qualidade* da consciência do indivíduo — em resumo, a dinâmica interna de todo o campo de energia física e psicológica do indivíduo. Finalmente, depois de anos de experiências, extensas leituras em muitas áreas, milhares de horas de aconselhamento e muitos tipos de pesquisa, ficou óbvio que a astrologia é essencialmente uma linguagem da experiência e também — como percebi depois de anos de estudo das artes de cura — uma linguagem da energia. Concluí que, para que a astrologia seja verdadeiramente *científica* (na acepção exata do termo), é preciso enfatizar as dimensões interiores da vida humana para atingir o nível de precisão almejado por mim.

A situação interna é, efetivamente, mais fundamental do que as circunstâncias externas e, portanto, é simbolizada com mais exatidão pelas configurações astrológicas. Logo que a essência interior se manifesta no mundo exterior, ela se fragmenta; o um torna-se muitos, sendo assim muito mais difícil de captar por meio do limitado número de fatores de qualquer mapa. Por conseguinte, enfatizar exclusivamente acontecimentos e circunstâncias externos, como fazem muitos astrólogos, acaba sendo um jogo de adivinhação raramente bem-sucedido. Em minha investigação, uma vez constatada a necessidade de concentrar-se nas dimensões interiores para descobrir as características *invariavelmente* presentes quando ocorrem determinadas posições ou configurações planetárias, restava apenas testar muitas formas de expressão verbal e muitas palavras e frases-chave para determinar quais delas tinham mais precisão e mais eficácia para comunicar realidades sutis aos clientes. Meus três primeiros livros, e este agora, são o resultado dessa busca. Espero que o leitor deste livro veja essas diretrizes sob esse prisma, espere até elas se tornarem familiares e, finalmente, fique à vontade para pinçar e escolher quaisquer partes deste livro que se mostrem mais proveitosas.

Por fim, como mencionei acima e pus em evidência no meu primeiro livro, *Astrologia, psicologia e os quatro elementos*, a astrologia é — talvez acima de tudo — uma linguagem da energia. Não conheço nenhuma outra linguagem de energia que rivalize com ela em exatidão, precisão descritiva e utilidade. Que outra linguagem (ou ciência, aliás) é capaz de revelar a *voltagem* primária do indivíduo, seu poder básico e sua faixa de força vital, mostrada pelo Sol? Que outra linguagem consegue descrever com tanta precisão a *amperagem* do indivíduo, o ritmo de seu fluxo energético, mostrada pela Lua? E a *condutividade* ou *resistência* do indivíduo — de que forma a força vital consegue fluir do indivíduo para o mundo — simbolizada pelo ascendente? Essas analogias com a eletricidade, feitas pelo Dr. William Davidson, são apenas um fragmento da vasta linguagem de energia da astrologia.

Se se quiser enfatizar a abordagem da energia na astrologia e, consequentemente, a importância dos quatro elementos, vale a pena ter em mente as definições abaixo — que usei durante muitos anos e verifiquei serem extremamente precisas — ao estudar o material deste livro. Essas definições também enfocam a astrologia como uma linguagem de *experiência* pessoal, em contraste com a tentativa antiquada de extrair à força, de todos os padrões astrológicos, uma descrição de acontecimentos externos.

> Os ELEMENTOS são a *essência energética da experiência.*
> Os SIGNOS são os *padrões primários de energia* e indicam *qualidades de experiência* específicas.
> Os PLANETAS *regulam o fluxo de energia* e representam *dimensões de experiência.*
> As CASAS representam as *áreas de experiência* onde energias específicas serão *expressas com mais facilidade* e *encontradas de modo mais direto.*
> Os ASPECTOS revelam *o dinamismo e a intensidade da experiência,* bem como *o modo de interação das energias dentro da pessoa.*

Esses cinco fatores, definidos e entendidos como exposto acima, compõem uma psicologia cósmica notavelmente abrangente, sofisticada e refinada; qualquer tentativa de formular uma ciência da astrologia (ou psicologia astrológica) confiável precisa levar em consideração a dimensão de energia da vida, que a astrologia mapeia e esclarece com tanta nitidez. Os profissionais de várias linhas das artes de cura pensam e trabalham em termos de "energia", e de fato um bom número deles está usando ou testando a astrologia como uma linguagem precisa de energia. Portanto, agora resta aos astrólogos dar-se conta do que estava em suas mãos o tempo todo e, consequentemente, reconhecer a dimensão de energia da astrologia.

Infelizmente, muitas pessoas ativamente engajadas na astrologia atualmente — tanto pesquisadores como profissionais — estão cometendo o mesmo erro dos cientistas materialistas e da maior parte dos médicos de hoje: ou seja, perdem-se em detalhes e análises excessivamente minuciosas, a ponto de deixar de ver o todo maior. As grandes verdades holísticas da astrologia são facilmente negligenciadas e às vezes até mesmo ridicularizadas por quem se perde nos detalhes técnicos. Entre essas grandes verdades estão, em primeiro lugar, que a *energia* é o fator fundamental a ser analisado e entendido por meio da astrologia; e em segundo lugar, como um simples fator unificador, a realidade e a importância dos "quatro elementos" tradicionais, que continuam sendo ignorados ou minimizados pela maioria dos astrólogos. Contudo, as energias representadas pelos quatro elementos são, em última instância, as realidades fundamentais da vida que a astrologia analisa. Na abordagem da energia, os elementos são os princípios ativos, e os planetas servem primordialmente para ativar e regular essas energias. Em resumo, o exame dos fundamentos de energia da astrologia ajudará todos os estudantes e profissionais a ganharem em realismo, precisão e eficiência ao transmitir as grandes verdades dinâmicas que a astrologia tem a oferecer. Os astrólogos preferem às vezes agarrar-se ao mapa natal para obter segurança — em vez de usá-lo, deixá-lo de lado e depois viver corajosamente com essa maior compreensão. A astrologia não precisa ser uma religião nem a meta final de uma jornada de vida. Ela tem mais valor como um degrau rumo a uma maior compreensão e a uma meta maior.

A astrologia no limiar de um salto

> *A imensa diferença entre a astrologia e as outras ciências, se posso falar assim, é que a astrologia não lida com fatos e sim com profundezas. O chão firme em que o cientista parece se apoiar dá lugar, na astrologia, aos imponderáveis.*
>
> Henry Miller

Parece-me aconselhável, principalmente em benefício de quem começa a estudar astrologia, analisar sucintamente algumas questões cruciais diretamente relacionadas com o estudo e o uso da astrologia em nossa era. Na verdade, seria inadequado se este livro, ou qualquer professor de astrologia, iniciasse as pessoas no poder e na profundidade da ciência astrológica sem uma discussão aberta de certos aspectos filosóficos, científicos e práticos que têm relação direta com qualquer tentativa de usar a astrologia na sociedade ocidental contemporânea. Não posso começar a analisar todas as questões relevantes neste manual; na verdade, dediquei um livro inteiro a esses temas (*The practice and profession of astrology*)* bem como uma parte bastante grande de outro livro (*The Jupiter/Saturn conference lectures: new insights in modern astrology,*** em coautoria com Liz Greene). Portanto, é preciso considerar as reflexões a seguir apenas como introdução a uma série de assuntos complexos e controversos.

A astrologia é, sob muitos aspectos, um assunto único; o vasto

---

* *Astrologia - prática e profissão,* Editora Pensamento, São Paulo, 1988.
** *Júpiter e Saturno. Uma nova visão da astrologia moderna,* Editora Pensamento, São Paulo, 1988.

alcance de suas percepções e aplicações faz com que ela caminhe em flagrante descompasso com as tendências dominantes em nossa era materialista. Ela engloba ciência e arte, conhecimento e sabedoria, vida interior e exterior, e, de fato, baseia-se na correlação entre o cosmos e o indivíduo (a antiga doutrina da unidade do macrocosmo e do microcosmo — muitas vezes expressa pelo axioma "Assim em cima como embaixo"). Essa maneira holística de pensar soa, para a maioria das pessoas de hoje, um tanto poética e curiosa, no melhor dos casos; ou ridícula, ingênua e supersticiosa, no pior dos casos. O preconceito amplamente difundido contra a astrologia no mundo ocidental, entretanto, não passa de mais um exemplo do ceticismo irrefletido e, na verdade, não científico, expresso atualmente de forma tão automática em relação a qualquer coisa que reconheça a realidade da mente ou do espírito — os dois mais poderosos fundamentos da experiência humana ao longo da história.

Esse ceticismo e esse antagonismo em relação à astrologia são apenas uma expressão um pouco mais enérgica da ampla hostilidade que a ciência materialista e a visão curta de seus defensores e cultuadores voltam contra muitos ramos de tradição espiritual, artes de cura, filosofia e formas mais antigas de psicologia e orientação pessoal. Infelizmente, uma abordagem assim — limitada e sem imaginação — do potencial humano e das tradições centrais do pensamento humano domina, há algum tempo, os principais centros de poder da sociedade ocidental, incluindo o mundo acadêmico, que tem a obrigação ética de preservar e estudar as tradições intelectuais e culturais e enfatizar a abertura mental na busca da verdade. Há uns poucos que ocasionalmente se declaram contra essa tendência de ignorância, como o presidente da Universidade Yeshiva, Norman Lamm, que escreveu em 1987:

> ... precisamos reafirmar a existência e o valor do espírito ...nossa sociedade [precisa] aprender que existe uma sabedoria maior à espera da nossa paciente investigação; que o homem é um animal espiritual, bem como bioquímico, psicológico, político, social, legal e econômico.

Uma abertura para a dignidade espiritual ...significa que os dogmas predominantes do materialismo científico e o desespero filosófico não são os únicos pontos de vista dignos da atenção do erudito; que a crença na realidade da mente e na existência da alma não é uma sentença de inferioridade intelectual e retrocesso científico; ...que o conhecimento precisa transformar-se em sabedoria.

(Extraído do seu discurso no 100º aniversário de sua universidade.)

A atitude tacanha fomentada pela ciência materialista — concentrada na manipulação da natureza — inibiu extraordinariamente muitos avanços positivos da sociedade, além de criar o desastre ecológico mundial do qual só agora estamos começando a nos ocupar. Entretanto, o trabalho científico ortodoxo usa apenas uma pequena parte da mente. Ao pressupor que a ciência materialista é o único caminho confiável para o conhecimento, e que só é *real* o que pode ter sua validade cientificamente demonstrada, o mundo ocidental eliminou, de fato, as imensas dimensões da vida humana e da experiência inacessíveis à parte da mente usada na análise científica. Por conseguinte, quem já sentiu na prática o valor da astrologia, em vez de voltar-se para a ciência ortodoxa em busca de "provas" e aceitação — o que jamais acontecerá —, faria uso mais eficiente de suas energias assegurando-se de que sua compreensão da astrologia (como ela pode funcionar melhor, qual é sua área própria e quais suas limitações) seja clara e confiável.

O estudo da história da ciência, da medicina, da estratégia militar, da política e de muitos outros campos de atividade mostra claramente que dificilmente um avanço escapou da oposição violenta e fanática. Por exemplo, o físico Max Planck ficou tão aborrecido com a oposição às suas ideias que observou: "uma verdade científica nova não triunfa convencendo seus opositores e fazendo-os ver a luz; triunfa porque seus opositores acabam morrendo, e cresce uma nova geração familiarizada com ela." (de "Planck's Principle", *Science*, 1978, por D. Hull, P. Tessner e A. Diamond). Isso inevitavelmente me traz à lembrança o que escreveu a esse respeito William Blake, o independente filósofo, poeta e artista:

> *Tolo é quem deseja uma prova do que não consegue perceber;*
> *Estúpido é quem tenta fazer o tolo acreditar.*
> "O casamento do céu e do inferno"

O leitor pode estar pensando: "O que tem tudo isso a ver com astrologia, que sem dúvida não é uma ideia *nova*?"

É certo que a astrologia, em si, não é uma ideia nova; entretanto, seu uso como uma forma moderna de orientação pessoal e como instrumento extremamente útil das profissões assistenciais constitui, de fato, um avanço significativo e radical. O tipo de astrologia moderna, reformulada e psicologicamente sofisticada, desenvolvida nos últimos cinquenta anos, *é* uma ideia nova, é um produto específico, que responde a sérias necessidades da sociedade ocidental, e que tem uma grande contribuição a dar à ciência, à psicologia, às artes de cura e a muitas outras áreas de atividade. Cita-se frequentemente o Dr. Carl Jung, que disse que a astrologia incorpora a soma total do conhecimento psicológico da antiguidade. Esse grande reservatório de sabedoria antiga e compreensão potencial dos mistérios da vida humana foi agora estudado de novo à luz da moderna psicologia e de outras áreas de conhecimento, e significativamente reformulado por uns poucos pioneiros, com uma nova linguagem e uma infinidade de novas aplicações.

A astrologia está, agora, no limiar de um grande salto *potencial* para ocupar um lugar mais significativo na vida moderna — se ela continuar se desenvolvendo de uma maneira inteligente e com uma linguagem moderna. Ou ela pode regredir ao *status* anterior de leitura de sorte e jogo de salão, imagem que, infelizmente, ainda parece ser fomentada por muitos astrólogos profissionais que se concentram na predição de acontecimentos — quer eles se autodenominem ou não "astrólogos científicos", ou se atribuam algum outro título semelhante mais respeitável. O fato de a astrologia atravessar esse limiar nas próximas duas décadas dependerá mais dos atos, da competência e do profissionalismo dos praticantes e conselheiros astrológicos, do que dos atos dos poderosos inimigos da astrologia.

Já se divulgou que um número muito reduzido dos críticos mais diretos da astrologia teve a integridade ética e científica de pesquisar o assunto a fundo; em geral, eles têm um conhecimento muito pequeno de seus princípios e virtualmente nenhum de sua prática. Suas opiniões, portanto, no tribunal da ciência que eles alegam representar, precisam ser encaradas como desprovidas de qualquer valor não importando o grau de espalhafato e dogmatismo com que tenham sido formuladas. Os seguidores das principais tradições da astrologia ocidental fazem alguns enunciados explícitos com respeito aos significados esperados de posicionamentos, ciclos e configurações astrológicos específicos. Muitas, se não a maioria dessas tradições, baseiam-se em observações repetidas muitas vezes ao longo dos anos. Do ponto de vista científico ortodoxo, somente as experiências com um número equivalente de casos, e que levem a conclusões bastante diferentes, podem ser consideradas uma prova cientificamente aceitável de que certas tradições astrológicas específicas são errôneas.

A verdadeira pergunta, aqui, é bem simples e prática: as afirmações da astrologia são justificadas? Como é possível testá-las, a não ser pela experiência? E o que constitui uma experiência válida, eficaz e adequada dos princípios astrológicos? Minha conclusão, que vou expor mais pormenorizadamente a seguir, é que somente a prova da experiência se ajusta a essa necessidade; e que somente as experiências com pessoas reais, num contexto clínico, podem demonstrar plenamente o mérito e a validade da astrologia aplicada a orientação, aconselhamento e psicoterapia.

Uma objeção à astrologia que se ouve com frequência de "cientistas" que, na verdade, não querem pensar nem na possibilidade remota de a astrologia ser válida sob *qualquer* aspecto, é a ideia de que aqueles que praticam a astrologia não podem demonstrar nenhum "mecanismo de causa e efeito" pelo qual os planetas pudessem exercer qualquer "influência". À parte a questão de se dever ou não considerar a astrologia apenas dentro de um referencial causal limitado, a melhor refutação a essa tentativa de rejeitar a astrologia é explicar, como fez o Dr. Jacob Zighelboim, M.D., professor assistente da escola de medicina da UCLA numa palestra* que assisti recentemente, que, ao longo de toda a história da ciência, "a coisa mais difícil de definir é *mecanismo*". Existem muitos tipos de princípios e técnicas científicas que funcionam, e muitos tipos de remédios que são empregados rotineiramente no mundo todo, sem que haja a menor compreensão de *como* eles funcionam.

No campo da parapsicologia, décadas de pesquisa sob condições rigorosas e dentro dos parâmetros da experimentação científica ortodoxa não conseguiram explicar o "mecanismo" que pode estar associado aos vários tipos de fenômenos psíquicos. É bem possível que essa experiência na pesquisa da parapsicologia possa ser vista como uma indicação de que a abordagem experimental ortodoxa talvez seja totalmente inadequada para investigar a astrologia e outros fenômenos e técnicas que trabalham com as regiões mais profundas da mente. O simples fato de alguma coisa não ser prontamente mensurável não significa que ela não exista e não seja importante!

O baluarte da ciência materialista tem seu alicerce na estatística, na medição, e nas infindáveis análises de detalhes menores que o amplo uso atual dos computadores facilita e inflaciona. Como escreveu um dos mais avançados especialistas em doenças alérgicas, Dr. Theron Randolph, M.D.: "A metodologia estatística, a computadorização e os sistemas de recuperação de dados privilegiam a análise e a fragmentação em detrimento da síntese e do holismo." (de "Bulletin of the Human Ecology Research Foundation"). O Dr. Randolph

---

* Palestra dada no seminário *"Homeopatia: ciência para o século XXI"*, San Mateo, Califórnia, 29 de abril-1º de maio de 1988.

salienta que essas tendências tornaram a medicina e o diagnóstico médico cada vez mais analíticos, deixando escapar, dessa forma, o quadro maior da situação de vida do paciente. Creio que este é um alerta que deve ser ouvido, porque há tendências semelhantes em curso na astrologia, também com os mesmos resultados limitados.

Os estudos estatísticos em astrologia mostraram-se, quase todos, sem significado. Alguns poucos, como os realizados por Jeff Mayo correlacionando os signos do Sol com extroversão ou introversão, e os famosos estudos que Gauquelim realizou por mais de duas décadas, evidenciando padrões nítidos de correlação entre posições planetárias e várias profissões, deram resultados positivos. Entretanto, em geral, como foi salientado num livro recente* mostrando o malogro habitual dos estudos estatísticos na descoberta de padrões definidos que estavam realmente presentes nos dados, "Se você não souber onde procurar alguma coisa, provavelmente não vai encontrar." Por conseguinte, é alguma surpresa que aqueles que nada sabem das complexidades e da sutileza da astrologia em geral deixem de obter resultados significativos ao empregar abordagens estatísticas?

Entretanto, a despeito das limitações da abordagem estatística na investigação de fenômenos sutis, um número estatisticamente grande de observações clínicas e de experiência, não apenas na astrologia, mas também no campo das artes de cura natural, é frequentemente descartado como sendo "meramente anedótico", e portanto não sendo informação "confiável".

> De acordo com os críticos da informação anedótica, o que acontece com um rato é científico; o que acontece com um ser humano é apenas anedótico. Como é possível? Um rato não pode dizer a um cientista ou a um médico o que sente. O tecido morto de seu corpo pode apenas fornecer evidências do que aconteceu com ele. ...Com seres humanos,

---

* *The january effect*, publicado por Dow-Jones Irvin, 1987.

o que acontece a sua mente, a seus sentimentos e a outros órgãos de percepção é REAL, e se o relato de alguém sobre sua experiência é considerado anedótico, então esse tipo de documentação deveria ser aceitável. ...Desacreditar informação válida como sendo "anedótica" é "não científico" (de *Healthcare rights advocate*, vol. II, número 2).

O grande escritor e filósofo astrológico Dane Rudhyar explicou claramente os perigos de os profissionais da astrologia caírem na armadilha de imitar os métodos e padrões "científicos" atualmente em moda:

> A preocupação do astrólogo de nossos dias em "elevar" a astrologia ao nível aceitável de uma "ciência" por intermédio de estatísticas e outros instrumentos analíticos cultuados em nossas "fábricas de conhecimento" (universidades) oficiais não resultará numa abordagem mais construtiva dos problemas defrontados pelo consultor astrológico em relação a seus clientes. O modo mais provável é tornar esse relacionamento menos eficaz, porque, para ser realmente eficaz, ele precisa ser um relacionamento de pessoa a pessoa — e a ciência não lida com casos *individuais*, e sim com *médias estatísticas*. A ciência não lida com valores humanos, enquanto a pessoa procura o consultor astrológico para pedir ajuda. Inconscientemente, ela sempre pede ajuda, mesmo que *conscientemente* esteja movida pela curiosidade. Ela vem pedir ajuda com seu senso de individualidade diferenciada e única, mesmo quando seu problema declarado parece universal; e é com esse senso de individualidade que o consultor precisa lidar. Porque todos nós somos o nosso problema mais básico; e a astrologia deve ajudar-nos a enfrentá-lo com objetividade e serenidade...
>
> (de *Astrology and the modern psyche*, 1977, pág. 182)

Com efeito, as verdades filosóficas e holísticas da astrologia incorporam uma visão do mundo bastante incompatível com a visão do mundo da ciência materialista, e qualquer pessoa engajada em educação, pesquisa ou promoção astrológica deve acautelar-se contra a tentativa de "integrá-las" à força, com o único objetivo de obter uma ilusória aceitação ou uma cobiçada respeitabilidade. Seria muito mais produtivo trabalhar com afinco para elucidar os pontos fortes peculiares à astrologia e definir mais extensamente seus princípios e aplicações. Uma abordagem totalmente pragmática, que avalie os resultados na vida e na experiência particular de cada um, é, em última análise, o único teste que realmente conta em qualquer arte de cura, profissão assistencial ou método ou teoria psicológica.

O futuro da astrologia como ciência e profissão

Sob que aspectos a astrologia pode ser considerada uma ciência?* Em geral, ela pode ser denominada ciência simplesmente por compreender um conjunto de princípios e leis que foram acumulados por meio da observação; muitos desses princípios podem ter sua confiabilidade testada e observada. O simples fato de poder-se encontrar, na imensa tradição da astrologia, ideias e teorias que em geral não funcionam e, de fato, algumas que são completamente inconfiáveis, não implica a necessidade de rejeitar indiscriminadamente toda a tradição astrológica. Toda ciência cresce e muda constantemente, as teorias vêm e vão, são descartadas ou aprimoradas, ou são englobadas numa teoria mais completa; a astrologia não foge à regra. Porém, os *princípios fundamentais* da astrologia, quando corretamente entendidos, são bastante confiáveis.

Especificamente, creio ser razoável dizer que *psicologia astrológica* atualmente disponível (embora seja fato que o aluno sério precise procurar com considerável determinação para encontrá-la) constitui uma espécie de psicologia cósmica. Este *manual* é, na verdade, uma tentativa de expor alguns dos princípios e diretrizes fundamentais

* Ver também *The practice and profession of astrology*, de Arroyo, onde há uma análise mais ampla da definição da ciência, como a astrologia é científica etc.

desse tipo cósmico de ciência psicológica. Quando os elementos básicos da astrologia são interpretados com uma linguagem precisa e contemporânea, com uma verdadeira compreensão do que significam na psicologia humana, eles são capazes de descrever predisposições individuais e elucidar muito mais o mistério da "natureza humana" do que as teorias, novidades e modas, sempre em mudança, da psicologia ortodoxa.

Grande parte da psicologia moderna precisa depender de um trabalho de adivinhação dos impulsos e motivações das pessoas, e em geral atribui tudo a uma indecifrável combinação de hipotéticos "fatores genéticos e ambientais". As teorias resultantes, com frequência, não passam da mera projeção do ponto de vista, da experiência e dos preconceitos individuais do teórico. A astrologia pinta seus quadros da natureza humana com cores muito mais variadas, na vasta tela do céu. Com isso, retrata-se uma parcela muito maior da potencialidade humana — e com mais nitidez. Com base nas observações de milhões de pessoas durante longos períodos de tempo, a astrologia tem o direito legítimo de reivindicar o título de ciência psicológica, na verdadeira acepção da palavra, desde que os fundamentos astrológicos sejam adequadamente entendidos e aplicados. Esse entendimento adequado pressupõe admitir honestamente, e reconhecer plenamente, as áreas de aplicação tradicional onde a confiabilidade da astrologia é insuficiente.

Em última análise, a psicologia precisa de um referencial cósmico para tratar das forças de energia que avivam o filho do cosmos, o que todo ser humano é. Ao colocar o ser humano num quadro de referência cósmico, a astrologia, e somente ela, tem a capacidade de ressintonizar a consciência de uma pessoa com sua natureza essencial e de estimular um profundo nível de autoconhecimento. Nenhuma outra teoria ou técnica que eu conheça é capaz de elucidar a motivação humana, ou a *qualidade* da consciência ou experiência individual, com tanta clareza, simplicidade e precisão. Se a astrologia for corretamente utilizada, não é preciso sobrepor a ela uma linguagem ou uma teoria complexa; ela pode ser apenas *uma simples explicação dos fatores cósmicos e das energias vitais que operam dentro da pessoa e por meio dela.*

Se a astrologia representa, de fato, uma ciência psicológica tão profunda e sem paralelo, o leitor pode estar imaginando como é possível inseri-la com mais eficácia na sociedade, sociedade essa onde atualmente a figura do "astrólogo" faz-se acompanhar de falta de respeito, ridicularização constante, ostracismo social e pequena recompensa financeira, à exceção de algumas poucas estrelas da comunicação que fazem uma astrologia sensacionalista visando o lucro. Tentei investigar essas questões com minúcias em *The practice and profession of astrology* e, portanto, remeto o leitor a esse livro para análises adicionais. Entretanto, vale a pena mencionar uma nova ideia não citada naquele livro, apenas com o intuito de estimular a discussão entre profissionais e futuros profissionais da área astrológica.

À parte o uso pessoal da astrologia para o autoconhecimento e a sintonização com o ritmo de sua própria vida, acredito há muitos anos que o maior poder e o maior potencial de cura da astrologia se manifestam nas práticas de aconselhamento individual. Não tenho dúvida alguma de que o grau de precisão e utilidade da informação astrológica é muito maior num contexto de diálogo do que numa "leitura" onde o interessado pode ou não estar presente. Imagino, portanto, se o futuro da astrologia como atividade profissional não poderia incorporar o título de "conselheiro astrológico" ou possivelmente até "astrólogo clínico". Se algum dia se firmar uma especialidade profissional desse tipo, a única forma de fazê-lo será por meio do estabelecimento de um *propósito* claramente definido, de uniformidade de padrões, e de prática de alta qualidade. Em resumo, seria preciso fixar um padrão de excelência, e determinar requisitos bastante exigentes para servir de base a essa nova profissão. Isto, naturalmente, só poderia ser conseguido depois de muitos anos, e os resultados demorariam a aparecer, graças à pujança do preconceito antiastrológico do *establishment*. Entretanto, se pessoas inteligentes e capazes não tiverem uma oportunidade vocacional de praticar uma profissão aceita e poder viver razoavelmente dela, como poderá a astrologia jamais atrair e conservar o tipo de pessoas capazes de fazê-la prosperar e crescer, e capazes de prestar o tipo de serviços astrológicos especializados que o público tem o direito de esperar?

Como usar este livro

2

> *Estude as palavras encadeadas, sem dúvida,*
> *[mas procure*
> *A ação indicada além delas;*
> *Encontrando-a, jogue fora as palavras*
> *Como se faz com a palha depois de peneirado*
> *[o grão.*
> *Estude as ciências [espirituais], domine seu*
> *[significado secreto;*
> *Feito isso, livre-se dos livros.*
>
> Upanishad

Este livro não é uma tentativa de sumariar todos os significados possíveis dos fatores primordiais encontrados num mapa natal. Tampouco pretende transmitir ao leitor um "conhecimento" instantâneo ou afirmações sensacionais para impressionar os outros. Os pontos mais fortes da astrologia são malbaratados quando usados para explorar as fraquezas de um público e de uma mídia ávidos por um tipo de sensacionalismo que não é o produto próprio desta ciência sutil e profunda. Este livro incentivará a compreensão em proporção direta com o esforço de concentração e reflexão profunda do leitor. É um livro para a interpretação prática de mapas natais, proporcionando ao profissional, professor ou aluno diretrizes interpretativas que eles podem adaptar, aprimorar e usar para inferir mais significados do contexto do mapa, da pessoa e da situação sob consideração.

A palavra crucial é *diretrizes*. Diretriz significa algo feito para ser *usado* para chegar a algum lugar; no caso deste livro, para adquirir uma compreensão mais profunda de mapas e pessoas específicas e, finalmente, da própria astrologia. As pessoas que só usarem este livro passivamente não tirarão todo o seu proveito; mas aquelas que usarem as diretrizes como um *trampolim* para a reflexão pessoal — e numa consulta — para um diálogo centrado na realidade mais profunda, nos sentimentos e na experiência interior do interlocutor, poderão, creio, achar este livro muito proveitoso. O fato de usar este livro como forma de sintonizar-se, ou de ajudar os outros a se sintonizarem, com o eu mais profundo, com sentimentos, ritmos e necessidades sutis tantas vezes ignorados, permitirá ao leitor desenvolver um método pessoal de astrologia voltado para o significado e o propósito da vida. Uma astrologia desse tipo é muito mais profunda, mais útil e mais precisa do que o material descritivo e verboso da maioria dos livros e programas de computador que simplesmente arranham a superfície, deixando a pessoa essencialmente impassível e indiferente.

Conforme mencionado anteriormente, o trabalho astrológico precisa enfocar a experiência interior para atingir um alto nível de precisão. Quero fazer uma advertência em especial para os alunos mais recentes: não pressuponham que a astrologia seja capaz de "explicar" tudo, só porque ela é um tipo de ciência cósmica. Esse pressuposto errôneo é comum demais entre os astrólogos profissionais e os alunos que começam a estudar astrologia, tomados de entusiasmo. A crença de que a astrologia tem aplicações infinitas e que sua precisão é invariavelmente elevada em todas essas aplicações tem muitos efeitos nefastos, alguns dos quais expliquei em outros livros. Um resultado prejudicial, bastante nítido nos últimos anos, é que os astrólogos ficam tentados a preencher as aparentes lacunas acrescentando cada vez mais fatores ao mapa natal, na esperança, suponho, de no fim serem capazes de "justificar" ou "explicar" virtualmente cada detalhe ínfimo da vida. É um esforço fútil, evidentemente. A vida é uma dança infinitamente variável de energia; os mistérios da vida, o eu, a alma humana sempre transcenderão todas as abordagens e técnicas mentais. Isso me dá ainda mais motivos para referir-me aos elementos essenciais deste livro como simples *diretrizes*; eles só podem ser usados como uma direção na busca de maior compreensão de si próprio e dos outros. Não se pode alegar que essas diretrizes, ou qualquer outro material de interpretação de mapas, sejam a "palavra final" ou constituam interpretações "completas". Nada na vida humana jamais é "completo"; tudo está sempre em mudança e transformação.

Como já foi mencionado, não se deve pressupor que a astrologia vá "explicar" tudo. É preciso buscar na religião, na filosofia ou no misticismo as explicações últimas. A astrologia, embora não seja uma *explicadora* tão boa como muitos gostariam de acreditar, é uma grande *iluminadora*. Ela faz uma luz brilhar onde antes havia escuridão e confusão. Mas a astrologia só é capaz de iluminar se o astrólogo for capaz de enfocar essa luz! Caso contrário, a luz se dispersa, e portanto fica difusa e fraca. A luz brilhante da compreensão, que os extraordinários símbolos dessa linguagem cósmica podem refletir, está sujeita a ser facilmente distorcida ou perdida se quem usar a astrologia não representar uma lente nítida e polida. E este é o propósito destas diretrizes — ajudar a pessoa a *enfocar* os significados *essenciais*, tornando-se assim uma lente nítida para iluminar as complexidades e os cantos escuros da vida e da natureza humana.

Neste livro, parti do pressuposto de que o leitor está familiarizado, pelo menos até certo ponto, com os fatores básicos da astrologia tradicional. Portanto, não repeti o que já se encontra em dezenas de outros textos básicos. Também estou pressupondo que o leitor tenha seu mapa natal e conheça pelo menos o básico para averiguar as posições dos planetas por signo e casa. Para quem não tem seu mapa, recomendo encomendar um "mapa natal básico", a um preço de menos de 5 dólares, à seguinte empresa: ACS, P.O. Box 16430, San Diego, CA 92116, EUA. É essencial informar a hora de nascimento com a maior precisão possível, bem como a data e o local de nascimento. Seria melhor ainda, no caso de quem está começando agora, pedir a alguém versado no assunto uma explicação sobre os grandes componentes essenciais de seu mapa natal. Além de ler tudo que for possível da literatura astrológica,* recomendo também que os principiantes façam tantos mapas quanto puderem, mantendo com o dono do mapa um diálogo detalhado e livre, fazendo uso frequente das diretrizes deste livro, e não hesitando nunca em admitir francamente qualquer confusão, ignorância ou falta de compreensão. É só por intermédio da experimentação honesta tipo ensaio e erro com a astrologia, com um amplo número de pessoas, que a linguagem da astrologia adquire vida de fato. Esse tipo de diálogo é uma investigação conjunta das questões que a pessoa enfrenta, do seu caráter e de suas motivações mais profundas, e da luz que a astrologia pode lançar sobre esses temas.

Também é importante observar que, para poder usar este livro de maneira eficaz, deve-se avaliar com a mente aberta a precisão de *todas* as frases interpretativas, quer elas possam parecer positivas ou negativas. (A função do profissional de astrologia, afinal, não é lisonjear o cliente com infindáveis afirmações laudatórias!) Os leitores que já estudaram muitos textos astrológicos diferentes terão notado que muitos escritores astrológicos caem na armadilha de fazer afirmações do tipo "ou/ou". É mais fácil pensar e escrever dessa forma do que lidar com as complexidades e nuanças da vida; é difícil ao escritor resistir a essa tentação, ao tentar organizar os dados astroló-

---

* Embora talvez a orientação mais importante em relação a que livros ler é descobrir os escritores que "falam a sua língua", aconselhamos o leitor a ler pelo menos alguns trabalhos de gigantes da astrologia como Dane Rudhyar, Margaret Hone e Charles Carter, bem como vários trabalhos de escritores modernos especializados em astrologia psicológica usando uma linguagem moderna. Recomendamos a leitura dos outros livros de Stephen Arroyo, que complementam este trabalho. Para os principiantes, indicamos em especial *Astrologia, psicologia e os quatro elementos*, que apresenta mais detalhes sobre muitos fundamentos de astrologia como linguagem de energia, além da fundamentação lógica dessa abordagem. O número de livros astrológicos que vale a pena estudar é tão grande que é impossível citar todos aqui. Sugerimos que o leitor consulte a lista de "Indicações de Leitura" no livro de Arroyo *Astrologia, karma e transformação*; *The divine science* de Marcia Moore e Mark Douglas é especialmente recomendado.

gicos em categorias acessíveis. Eu mesmo caí nessa armadilha mais de uma vez. Se a vida fosse simples assim, a prática e a compreensão da astrologia também seriam muito mais simples.

Na verdade, entretanto, o positivo e o negativo muitas vezes manifestam-se juntos na vida, alternando-se ou tecendo juntos a trama da personalidade de cada pessoa, de uma forma tão peculiar que é muito difícil tentar desatar todos os fios para facilitar a análise simples. A hipótese de que a maior parte das pessoas tem uma ampla combinação de traços, tendências e motivações "positivos" e "negativos" é realista. Além disso, sob muitos aspectos, o que pode parecer um traço "negativo" para alguém pode ser uma qualidade bastante admirável para outro. Alguém pode desprezar a impaciência e a irritabilidade de um ariano, por exemplo, enquanto outra pessoa pode ter profunda admiração pela personalidade voltada para a ação e pela rudeza franca do ariano. Em outras palavras, a despeito da impressão dada pelas interpretações pré-preparadas de tantos "livros de receitas", a astrologia não é um tipo de estudo ou/ou, baseado em simples critérios branco/preto. É uma sutil ciência da energia, que abarca uma infinita variedade de tons e combinações. Diferentemente das típicas "teorias da personalidade" da psicologia ortodoxa, ela abrange inúmeras nuanças de personalidade, caráter e potencial criativo. Como escreveu o psicólogo Dr. Ralph Metzner:

> Como psicólogo e psicoterapeuta, tenho me interessado por outro aspecto desse desconcertante e fascinante assunto. Temos aqui uma tipologia psicológica e um mecanismo de avaliação de diagnóstico que supera em muito, em complexidade e sofisticação de análise, qualquer sistema existente. [...] o referencial da análise — o zodíaco com seus três alfabetos simbólicos concatenados: os "signos", as "casas" e os "aspectos planetários" — provavelmente adapta-se melhor à complexa diversidade da natureza humana do que os sistemas existentes de tipos, traços, motivações, necessidades, fatores ou graduações.
> (*Astrology: potential science and intuitive art*, de *The Journal of Astrological Studies*, 1970)

Quem é mais novo no estudo da astrologia muitas vezes fica desnorteado com o vasto leque de opções interpretativas apresentadas até mesmo por um mapa natal básico. Perguntas como "O que devo *enfocar*?" e "O que devo enfatizar no tempo limitado de uma consulta?" são importantes e precisam ser respondidas. Contudo, a literatura da astrologia dá pouca orientação a esse respeito* e só fornece respostas dispersas a essas perguntas. Tentei esclarecer um pouco essas questões numa série de livros meus, e decidi, neste volume, fazer com que a própria estrutura do livro refletisse a importância relativa dos vários fatores que constituem um mapa natal básico.

Mais importante, talvez, seja a ênfase dada neste livro aos quatro elementos como as energias básicas analisadas pela astrologia, e aos posicionamentos dos planetas "pessoais" por signo e por elemento. Os planetas exteriores (Urano, Netuno e Plutão) não foram enfatizados, exceto no caso de exercerem forte impacto sobre a pessoa, por exemplo, quando aspectam os planetas pessoais e têm determinados posicionamentos por casa. Já vi um número demasiado grande de principiantes dar ênfase excessiva ao posicionamento de Urano por signo, por exemplo, ou, até com maior frequência, a um aspecto entre dois planetas exteriores, sem saber que qualquer pessoa nascida num intervalo de muitos anos compartilha essa mesma configuração, devido ao movimento lento dos planetas exteriores. Por conseguinte, esse fator não pode ter senão um pequeno impacto *individual*, exceto na medida em que aspecta os "planetas pessoais" ou o ascendente. Assim, ao definir diretrizes precisas para utilizar e entender os *fundamentos* do mapa natal, não se justifica nem a inclusão de tais detalhes. Qualquer pessoa que usar a astrologia deve, invariavelmente, concentrar-se nos cinco planetas pessoais (Sol, Lua, Mercúrio, Vênus e Marte), bem como no ponto do ascendente, e em

---

* *The art of chart interpretation*, de Tracy Marks, é um dos poucos livros que enfatizam a maneira de atingir os fatores mais importantes do mapa dos secundários.

seguida em qualquer coisa que matize ou modifique esses fatores primários.

Por exemplo, se Netuno estiver conjunto ao ascendente ou a seu ponto oposto, o descendente, ele passa a ser um fator importante da personalidade e do campo de energia, não devido à sua posição por signo — e sim *devido à maneira como ele se vincula aos pontos focais e às estruturas primordiais do mapa*. Para dar outro exemplo, se Urano ou Plutão formarem aspectos *reduzidos* com o Sol, a pessoa em questão teria, então, forte sintonia e consciência uranianas ou plutonianas, não devido às posições por signos desses planetas distantes, e sim devido à intensidade da vibração estabelecida pela proximidade do ângulo entre o Sol e o planeta exterior.

Portanto, coerentemente com a importância dos planetas pessoais, a maior parte deste livro fornece numerosas diretrizes para entender as posições desses planetas por signo, bem como as posições por signo de Saturno e Júpiter. Com o intuito de manter o foco sobre a abordagem da energia da astrologia, também são fornecidas diretrizes simples para os elementos dos signos e para os elementos das posições dos planetas. Apenas com esse material sobre os elementos e as diretrizes sobre os planetas nos signos pode-se realizar um trabalho astrológico bastante surpreendente, de impressionante precisão.

Em termos de importância, o ascendente vem a seguir, mas em vez de apresentar palavras-chave semelhantes àquelas do Sol nos signos para descrever cada um dos signos em elevação, decidi abordar um ponto de desorientação comum dos estudantes adiantados em astrologia: a distinção entre a manifestação de um signo como signo do Sol e como signo em elevação. Poder-se-ia dizer muito mais para diferenciar cada um dos pares (por exemplo, ascendente Touro e Sol em Touro); porém, num livro de diretrizes concisas, parece-me suficiente assinalar a diferença e indicar alguns contrastes óbvios que observei ao longo dos anos.

Na seção sobre as casas, decidi enfocar os princípios holísticos, de onde podem ser extraídas todas as interpretações específicas das casas, e numerosas frases diretrizes elaboradas de forma que o praticante consiga "conectar" os dados específicos de um determinado mapa e, em seguida, usar a combinação resultante como trampolim para a reflexão pessoal ou o diálogo. Em outras palavras, na seção sobre as casas, meu intuito é estimular os alunos a pensarem por si próprios e a investigarem as inúmeras possibilidades de *vida interior* e *exterior* que uma dada combinação planeta/casa pode simbolizar.

Na seção sobre os aspectos, dei ênfase aos *planetas* em relações angulares específicas, e não exatamente ao ângulo em questão. O hábito da astrologia tradicional de agrupar todas as quadraturas, todos os trígonos etc. contribui para perpetuar a noção errônea de que todas as quadraturas são "más" ou "difíceis", todos os trígonos são "bons" ou "fáceis", e assim por diante. Esse hábito persiste, muitas vezes como uma tendência oculta, até mesmo no raciocínio daqueles que, conscientemente, alegam ter superado essa velha maneira restritiva de encarar os aspectos. Têm importância muito maior, contudo, os *planetas* envolvidos num aspecto, até que ponto eles *fazem uma boa combinação* e operam bem nos signos ocupados, e como um aspecto específico se integra à estrutura do mapa como um todo.

Como orientação adicional para aqueles que perguntam "No que devo me concentrar?", quero repetir o conselho que tenho dado a muitos alunos: mesmo se você achar que só entende uma pequena parte do mapa, vá atrás do que você *efetivamente* entende, porque isso vai levá-lo à estrutura e aos temas principais do restante do mapa. E não se preocupe em fazer uma "interpretação completa do mapa", pois isso é impossível. Em lugar de perder-se nos infindáveis detalhes de *um mapa*, é melhor enfocar o que é *importante* na natureza e na vida da pessoa, e o tipo de pessoa de que se trata. Como o mapa natal só se atualiza plenamente no ser humano vivo, só se consegue uma "interpretação completa do mapa" na medida em que se revelam, são mais bem entendidas e mais plenamente aceitas a estrutura e as complexidades do conjunto da vida e da personalidade do indivíduo.

Por fim, só se pode *ensinar* astrologia até certo ponto. Sem dúvida para executar um trabalho preciso e proveitoso, é importante aprender o melhor tipo de ciência astrológica disponível; mas depois de aprender os fundamentos, a filosofia e os princípios interpretativos confiáveis, o astrólogo passa a contar mais que a astrologia. A aplicação da ciência é uma arte que requer a sutileza de um artista. A pergunta, portanto, passa a ser: que tipo de artista é você? Você é uma lente clara, que reflete e focaliza com nitidez os fatores cósmicos? Portanto, o desenvolvimento pessoal, as crenças, os ideais e a sensibilidade do astrólogo são fatores cruciais para determinar até que ponto sua arte pode ser eficaz e benéfica.

Uma verdade continua de pé: o tipo específico de teoria astrológica que você adotar *é* importante (contrariamente ao que acreditam alguns astrólogos "de mente aberta"). Como disse Einstein, "é a teoria que determina o que podemos observar". Definir sua filosofia astrológica, sua teoria fundamental e sua abordagem, portanto, é imperativo para fazer um trabalho astrológico lúcido na perspectiva e sólido no embasamento.

Por outro lado, o grau de desenvolvimento pessoal que você tenha atingido é pelo menos igualmente importante, na medida em que lhe permite entender a vida e os seres humanos. Afinal, a amplitude do campo de atuação do intelecto é sempre definida pelo grau de consciência da pessoa (ou, poderíamos dizer, pelo grau de desenvolvimento da alma). Portanto, o que se deve examinar, em última análise, é a vida interior, o desenvolvimento interior, não apenas porque este é o único caminho que conduz à compreensão apurada e ao uso eficaz da astrologia, mas também porque é o único caminho que leva a uma forma evolutiva de ser.

Conceitos-chave e definições

A chave para a compreensão de toda a astrologia está ao alcance de qualquer pessoa que realmente entenda o significado das seguintes definições:

Os ELEMENTOS são a *essência de energia da experiência*.
Os SIGNOS são os *padrões primários de energia* e indicam *qualidades de experiência* específicas.
Os PLANETAS *regulam o fluxo de energia* e representam as *dimensões da experiência*.
As CASAS representam as *áreas de experiência* onde energias específicas *se expressam com mais facilidade e são encontradas de forma mais direta*.
Os ASPECTOS revelam o *dinamismo e a intensidade da experiência*, bem como *a forma de interação das energias dentro da pessoa*.

Esses cinco fatores compõem uma psicologia cósmica abrangente: a arte de combiná-los resulta na linguagem de energia chamada astrologia.

Esses fatores combinam-se da seguinte forma: uma determinada dimensão de experiência (indicada por um dado planeta) é invariavelmente matizada pela qualidade do signo onde o planeta está localizado no mapa da pessoa. Essa combinação tem como resultado a definição de um impulso específico de autoexpressão e de uma necessidade particular de realização. A pessoa irá deparar-se com essa dimensão da vida de maneira mais imediata na área de experiência indicada pela casa ocupada pelo planeta. E, embora o impulso para expressar ou atualizar essa dimensão de experiência esteja presente em todas as pessoas possuidoras de uma determinada combinação planeta-signo, os aspectos específicos daquele planeta revelam o grau de facilidade e harmonia com que a pessoa consegue expressar o impulso ou satisfazer a necessidade.

"O que você quer dizer com começo? Isso é tudo!"

A charge acima foi reproduzida por cortesia de Los Angeles Herald, copyright 1968.

3
Os quatro elementos e os doze signos

Os "quatro elementos" da tradição astrológica referem-se às forças (ou energias) vitais que formam toda a criação percebida em comum pelos seres humanos. Os quatro elementos num mapa natal revelam a capacidade de participar de certas esferas de existência e de sintonizar-se com áreas específicas de experiência de vida. Esses elementos nada têm que ver com os elementos da química e, na realidade, transcendem-os completamente. O mapa astrológico natal é traçado para o momento da primeira respiração, aquele instante em que estabelecemos imediatamente, e para toda a vida, a nossa sintonia com as fontes de energia cósmica. O mapa natal, portanto, revela seu padrão de energia, ou a sua sintonia cósmica com os quatro elementos. Em outras palavras, o mapa simboliza o padrão das várias manifestações vibratórias de que se compõe a expressão individual neste plano da criação.

Cada um dos quatro elementos — *Fogo, Terra, Ar* e *Água* — representa um tipo básico de energia e de consciência que opera dentro de todas as pessoas. Cada pessoa, conscientemente, tem mais sintonia com alguns tipos de energia do que com outras. Cada um dos quatro elementos manifesta-se em três modalidades vibratórias: *cardeal, fixa* e *mutável*. A combinação dos quatro elementos com as três modalidades resulta nos *doze padrões primários de energia*, denominados signos do Zodíaco.

Uma das formas de entender esses vários padrões de energia é analisá-los em termos de suas modalidades. Os *signos cardeais* correlacionam-se com o princípio da *ação* e simbolizam *o início de movimentos de energia numa direção definida*. Os *signos fixos* representam *a energia concentrada acumulada internamente em direção a um centro ou irradiando-se externamente a partir de um centro*. Os *signos mutáveis* correlacionam-se com a *flexibilidade* e a *mudança constante* e podem ser concebidos como *padrões espiralados de energia*.

O elemento de qualquer signo que esteja enfatizado num mapa (devido a posicionamentos planetários significativos nesse signo)* mostra um tipo específico de consciência e um método específico de percepção com os quais a pessoa está fortemente sintonizada.

Os SIGNOS DE AR correlacionam-se com a sensação, a percepção e a expressão da mente, principalmente no tocante às relações interpessoais, às formas geométricas de pensamento e às ideias abstratas.

Os SIGNOS DE FOGO expressam o princípio vital caloroso, energizante e irradiante que pode manifestar-se como entusiasmo, fé, incentivo e impulso de autoexpressão.

Os SIGNOS DE ÁGUA simbolizam o princípio suavizante e curativo da sensibilidade, da resposta emocional e da empatia com os outros.

Os SIGNOS DE TERRA revelam uma sintonia com o mundo das formas físicas e uma capacidade prática de utilizar e melhorar o mundo material.

A tradição dividiu os elementos em dois grupos: o *Fogo* e o *Ar* são considerados ativos e *autoexpressivos*, e a *Água* e a *Terra* são considerados passivos, receptivos e *retraídos*. Essa diferenciação tem grande importância numa abordagem holística dos mapas natais. Esses termos referem-se ao *modo de operação dessas energias* e ao método de autoexpressão da pessoa, e não a uma qualidade generalizada que pode ser aleatória e rigidamente aplicada a todas as pessoas de uma determinada categoria.

Por exemplo, os signos de Água e de Terra são mais retraídos do que os de Fogo e de Ar na medida em que vivem mais dentro de si mesmos, e não se permitem expressar exteriormente sua energia essencial sem uma boa dose de cautela e reflexão. Contudo, isto lhes permite estabelecer uma base sólida para agir. Os signos de Fogo e

---

* Ver, nos capítulos 11, 12 e 14 de *Astrologia, psicologia e os quatro elementos*, uma análise abrangente da maneira de entender e "medir" os elementos enfatizados em qualquer mapa. Deve-se consultar especialmente o capítulo 12 para entender a forma de avaliar a força relativa dos quatro elementos num determinado mapa natal.

Ar são mais autoexpressivos, visto que estão sempre "pondo para fora", extravasando sem reservas suas energias e sua essência vital (às vezes, ignorando completamente seus limites): os signos de Fogo por meio da ação direta, e os signos de Ar por meio da interação social e da expressão verbal. Essa classificação por elementos, e o fato de os signos do mesmo elemento (por exemplo, Áries, Leão e Sagitário — todos de Fogo) e os do mesmo grupo (por exemplo, Touro e Peixes = Terra e Água) serem em geral considerados "compatíveis", é da maior importância não apenas na interpretação de mapas individuais mas também na arte da comparação entre mapas.

Cada signo de um elemento específico é um modo diferente de expressão da mesma energia elementar, representando um nível diferente de desenvolvimento e de padrão de energia.

Os signos de Fogo: Áries, Leão e Sagitário

Os signos de Fogo expressam uma energia universal irradiante, uma energia que é excitável, entusiástica e que, através da sua luz, dá colorido ao mundo. Os signos de Fogo são exemplos de animação, grande fé em si mesmos, força interminável e franca honestidade.

Conceitos-chave
energia irradiante,
confiança e iniciativa

Características e palavras-chave
impulsividade destemida
ânimo
entusiasmo
força
franca honestidade, chegando à rudeza
expansividade
liberdade de expressão
força de vontade direcionada e liderança
efusividade
impaciência

Os Signos de Ar: Gêmeos, Libra e Aquário

Os signos de Ar expressam a energia vital associada com a respiração, ou com o que os iogues denominam "prana". O domínio do Ar é o mundo das ideias arquetípicas além do véu do mundo físico; no elemento ar, a energia cósmica atualiza-se em padrões específicos de pensamentos. Os signos de Ar sentem uma necessidade interior de distanciar-se das experiências imediatas da vida cotidiana, e isso para dar objetividade, perspectiva e um enfoque racional e ponderado a tudo o que fazem.

Conceitos-chave
sensação, percepção
e expressão mentais

Características e palavras-chave
vida através da mente
visualização
racionalização
distanciamento e perspectiva
forte desejo de entender
verbalização
necessidade de se relacionar e conviver socialmente
percepção dos outros como indivíduos
comunicação e curiosidade
conceitos e princípios

Os Signos de Água: Câncer, Escorpião e Peixes

Os signos de Água têm ciência de seus sentimentos; estão em sintonia com nuanças e sutilezas que muitos outros sequer notam. O elemento Água representa o reino da emoção profunda e das respostas emocionais, que se estende da paixão irresistível ao medo que desarma, e daí à aceitação e ao amor da criação como um todo. Os signos de Água sabem instintivamente que, para concretizarem os anseios mais profundos de sua alma, precisam proteger-se das influências externas, a fim de garantir a tranquilidade interior necessária à reflexão profunda e à sutileza de percepção.

Conceitos-chave
emoção profunda
empatia e resposta emocional

Características e palavras-chave
sensibilidade
percepção da realidade do inconsciente e/ou inconsciência da realidade
intuição
purificação e catarse
sensibilidade psíquica
reflexão profunda
discrição habitual e necessidade de privacidade
capacidade de servir compassivamente
necessidade de envolvimento emocional com os outros

Os Signos de Terra: Touro, Virgem e Capricórnio

Os signos de Terra confiam intensamente em seus sentimentos e em sua razão prática. Têm uma compreensão inata do modo como funciona o mundo material, o que lhes dá mais paciência e autodisciplina do que têm os outros signos. O elemento Terra tende à cautela, à premeditação, a um certo convencionalismo e é, geralmente, confiável. Saber qual é o seu lugar adequado no mundo é particularmente importante para os signos de Terra, pois a segurança é uma meta constante de suas vidas.

Conceitos-chave
capacidade prática de utilizar o mundo material

Características e palavras-chave
sintoma com o mundo físico
sentidos físicos apurados
praticidade
paciência
autodisciplina
persistência
cautela
confiabilidade
premeditação
convencionalismo

Consulte as duas primeiras páginas do capítulo 5 para obter mais detalhes sobre cada signo separadamente e sobre as diferenças entre eles.

Os planetas

Conceitos-chave dos planetas

	Princípio	*Impulsos que representa*	*Necessidade que simboliza*
SOL	Vitalidade; senso de individualidade; energia criativa, eu interior irradiante (sintonia da alma); valores *essenciais*	Impulso para ser e criar	Necessidade de ser reconhecido e de expressar-se
LUA	Reação; predisposição subconsciente; sentimento sobre o eu (autoimagem); reflexos condicionados	Impulso para sentir-se interiormente adequado; impulso de segurança doméstica e emocional	Necessidade de tranquilidade emocional e sensação de pertencer; necessidade de sentir-se adequado
MERCÚRIO	Comunicação; mente consciente (isto é, mente lógica ou racional)	Impulso para expressar as percepções e a inteligência por meio de habilidades ou da fala	Necessidade de entrar em contato com os outros; necessidade de aprender
VÊNUS	Gosto de cunho emocional; valores; intercâmbio de energia com os outros doando-se e recebendo dos outros; partilha	Impulso amoroso e sexual; impulso de exprimir o afeto; impulso do prazer	Necessidade de ligar-se aos outros; necessidade de sentir conforto e harmonia; necessidade de extravasar as emoções
MARTE	Desejo; vontade de agir; iniciativa; energia física; vigor	Impulso autoafirmativo e agressivo; impulso sexual; para agir decisivamente	Necessidade de concretizar os desejos; necessidade de estímulo físico e sexual
JÚPITER	Expansão; benevolência	Impulso com vistas a uma ordem maior ou para associar-se a algo maior que o eu	Necessidade de ter fé, crença e confiança na vida e em si mesmo; necessidade de evoluir
SATURNO	Concentração; esforço	Impulso para defender a estrutura e a integridade do eu; impulso em direção à segurança e à certeza por meio de realizações palpáveis	Necessidade de aprovação social; necessidade de depender de seus próprios recursos e de seu próprio esforço

	Princípio	Impulsos que representa	Necessidade que simboliza
URANO	Liberdade individualista; liberdade *para* o eu-ego	Impulso de diferenciação, originalidade e independência em relação às tradições	Necessidade de mudança, excitação e expressão sem restrições
NETUNO	Liberdade transcendente; unificação; liberdade do eu-ego	Impulso para livrar-se das limitações do próprio eu e do mundo material	Necessidade de sentir-se unido à vida, em fusão completa com o todo
PLUTÃO	Transformação; transmutação; eliminação	Impulso em direção ao renascimento total; impulso para ir até o âmago da experiência	Necessidade de aprimorar-se; necessidade de abandonar o velho através da dor

Expressão positiva-negativa dos princípios planetários

Todo princípio planetário pode ser expresso de maneira positiva e criativa, ou de maneira negativa e autodestrutiva. Em outras palavras, a sintonia da pessoa com cada dimensão da experiência pode estar em harmonia — ou em desarmonia e desacordo — com uma lei mais elevada. Resulta daí o uso criativo ou o mau uso dessas várias energias, forças e sintonias. É preciso analisar os aspectos de cada planeta para poder entender o grau de harmonia ou desacordo presente na pessoa.

	Expressão positiva	*Expressão negativa*
SOL	Irradiação do espírito; doação criativa e amorosa de si mesmo	Orgulho; arrogância; desejo excessivo de ser especial
LUA	Reatividade; contentamento interior, senso do eu adaptável, fluido	Sensibilidade exagerada; insegurança; senso do eu inibidor e incorreto
MERCÚRIO	Uso criativo de habilidades e inteligência; razão e capacidade de discriminar portas a serviço de ideais elevados; capacidade de chegar a um acordo por meio da compreensão objetiva e da clareza de expressão verbal	Mau uso de habilidades, inteligência; amoralidade resultante da racionalização de qualquer coisa; "comunicação" dogmática e unilateral

	Expressão positiva	Expressão negativa
VÊNUS	Amor, relação de troca com os outros; partilha; generosidade de espírito	Autocomplacência; cobiça; exigências emocionais; inibição dos afetos
MARTE	Coragem; iniciativa; força de vontade voltada conscientemente para atingir uma meta válida	Impaciência; obstinação; violência; uso inadequado da força ou de ameaças
JÚPITER	Fé; confiança num poder superior ou num plano maior, benevolência; otimismo; aceitação da necessidade de evoluir.	Excesso de confiança; preguiça; dispersão de energia; deixar o trabalho para os outros; irresponsabilidade; ultrapassar os próprios limites ou prometer além das possibilidades
SATURNO	Esforço disciplinado; aceitação de deveres e responsabilidades; paciência; organização; confiabilidade	Autorrepressão por depender demais de si mesmo ou por falta de fé; rigidez; frieza; defensividade; inibição, receio e negativismo incapacitante
URANO	Sintonia com a verdade; originalidade; inventiva; experimentação dirigida; respeito pela liberdade	Obstinação; impaciência insatisfeita; necessidade constante de excitação e mudanças sem propósito; rebeldia; extremismo
NETUNO	Sintonia com o todo; percepção da dimensão espiritual da experiência; compaixão sem fronteiras; viver um ideal	Escapismo autodestrutivo; fuga às responsabilidades e às necessidades mais profundas do eu; recusa em encarar as próprias motivações e a envolver-se com qualquer coisa
PLUTÃO	Aceitação da necessidade de voltar a mente e a força de vontade para a própria transformação; coragem de encarar os próprios desejos e compulsões mais profundos e de transmutá-los através do esforço e da intensidade da experiência	Expressão compulsiva de anseios subconscientes; manipulação intencional dos outros em benefício próprio; uso impiedoso de qualquer meio para evitar a dor de encarar a si mesmo; fascínio pelo poder

Os planetas nos elementos

O SOL

O elemento do signo do Sol é, via de regra, preponderante para considerar-se a psicologia de uma pessoa como um todo; isto acontece porque o elemento do signo do Sol revela a sintonia da pessoa com sua vitalidade básica, sua identidade e sua capacidade de autoprojeção, bem como a qualidade fundamental de sua consciência. Ele mostra, também, o que é "real" para a pessoa, pois é a suposição inconsciente do que é particularmente real e do que não é que determina o modo como a pessoa dará vazão à sua energia.*

Por exemplo, *os signos de Ar* (*Gêmeos*, *Libra* e *Aquário*) vivem no reino abstrato do pensamento, e o pensamento, para eles, é tão real quanto qualquer objeto material. Os *signos de Água* (*Câncer*, *Escorpião* e *Peixes*) vivem em seus sentimentos, e é seu estado emocional que, mais do que qualquer outra coisa, determina seu comportamento. Os *signos de Fogo* (*Áries*, *Leão* e *Sagitário*) vivem num estado extremamente exaltado e animado de atividade: a manutenção desse estado de ser é crucial para a saúde e à felicidade desses signos. Os *signos de Terra* (*Touro*, *Virgem* e *Capricórnio*) estão assentados na realidade física: o mundo material e as considerações relativas à segurança e realização motivam seu comportamento mais do que qualquer outra coisa.

O elemento do signo do Sol de uma pessoa revela a força básica interior que motiva tudo o que ela faz. O elemento do signo do Sol também elucida a maneira como a pessoa vê a vida em si, e quais suas expectativas em relação às experiências de vida.

Visto da perspectiva da sintonia do nível de energia, o elemento do signo do Sol representa um tipo de carga energética que precisa ser frequentemente alimentada ou reabastecida para a energia da pessoa não se esgotar. Em outras palavras, o elemento do seu signo solar é o combustível de que você precisa para sentir-se vivo! É a força que nos revitaliza para podermos fazer frente às tensões e exigências do dia a dia.

* Ver também o capítulo 11 de *Astrologia, psicologia e os quatro elementos* para material adicional sobre o significado do elemento do signo do sol. O capítulo 14 desse mesmo livro também traz considerável material importante sobre os posicionamentos de todos os planetas nos elementos.

Sol em signos de Fogo:
   Basicamente motivado por inspirações e aspirações
   Recarrega a energia por meio da atividade vigorosa, que exige muito de seu físico, e pela busca de novas visões para o futuro
Sol em signos de Terra:
   Basicamente motivado por necessidades materiais e praticidade
   Recarrega a energia trabalhando com o mundo físico, sendo produtivo, alimentando seus sentidos
Sol em signos de Ar:
   Basicamente motivado por conceitos intelectuais e por ideais sociais
   Recarrega a energia por meio do envolvimento social e do estímulo intelectual
Sol em signos de Água:
   Basicamente motivado por profundos anseios e desejos emocionais
   Recarrega a energia por meio de intensas experiências emocionais e envolvimento íntimo com as pessoas

A LUA

O elemento do signo da Lua representa uma sintonia vinda do passado que se manifesta automaticamente, um modo de sentir e de ser de que a pessoa precisa estar ciente para se sentir interiormente segura e à vontade consigo mesma. Este elemento e as experiências com ele relacionadas alimentam sua necessidade de se sentir *adequado*; por meio desses modos de autoexpressão, você está satisfazendo uma profunda necessidade interior, capaz de estabilizar toda a sua personalidade. O elemento da Lua também mostra como você reage instintivamente a todas as experiências, com que energia você se adapta espontaneamente ao fluxo da vida.

Lua em signos de Fogo:
   Reage à mudança nas experiências por meio da ação direta e do entusiasmo
   Sente bem-estar quando expressa confiança e força
Lua em signos de Terra:
   Reage à mudança nas experiências com firmeza e estabilidade
   Sente bem-estar consigo mesmo quando está sendo produtivo e trabalhando para atingir metas

Lua em signos de Ar:
    Reage à mudança nas experiências com reflexão prévia e avaliação objetiva
    Sente bem-estar consigo mesmo quando está exprimindo ideias e interagindo socialmente

Lua em signos de Água:
    Reage à mudança nas experiências com sensibilidade e emoção
    Sente bem-estar consigo mesmo quando seus sentimentos estão profundamente envolvidos

MERCÚRIO

O elemento do signo de Mercúrio indica o tipo específico de energia e de qualidade que influencia os processos de raciocínio, e a maneira como a pessoa expressa os pensamentos de acordo com aquela onda vibratória específica. Mercúrio simboliza o impulso para entrar em contato e estabelecer comunicação de duas mãos com os outros, bem como todas as formas de coordenação, inclusive a coordenação do sistema nervoso. Seu elemento num dado mapa representa o influxo (via percepção) e o escoamento (via habilidades, fala e destreza manual) da inteligência. Mostra a necessidade de ser entendido por outras pessoas que tenham uma sintonia semelhante com o mundo das ideias, bem como a necessidade de aprender, recebendo ideias e informações do mundo exterior.

Mercúrio em signos de Fogo:
    Os pensamentos são influenciados pelas próprias aspirações, crenças, esperanças e visões futuras
    As habilidades e a fala apresentam uma expressão impulsiva, efusiva e entusiástica

Mercúrio em signos de Terra:
    Os pensamentos são influenciados por considerações práticas e matizados por atitudes tradicionais
    As habilidades e a fala apresentam uma expressão persistente, paciente, cautelosa e específica

Mercúrio em signos de Água:
   Os pensamentos são influenciados pelos próprios sentimentos e anseios mais profundos
   As habilidades e a fala apresentam uma expressão sensível, emocional e intuitiva
Mercúrio em signos de Ar:
   Os pensamentos têm realidade própria e são influenciados por ideais abstratos e considerações de ordem social
   As habilidades e a fala apresentam uma expressão objetiva, articulada, baseada na compreensão dos princípios envolvidos

VÊNUS

Como Mercúrio, Vênus representa influxo e escoamento de energia; seu posicionamento nos vários elementos expressa-se como um intercâmbio de amor, afeto e prazer sensual com os outros. O elemento do Vênus de uma pessoa representa a maneira como ela expressa afeto e interesse pelos outros, a maneira como manifesta seus sentimentos. Esta fase corresponde ao escoamento do princípio de Vênus; entretanto, a fase de influxo é igualmente importante. Esta representa os tipos de experiência e de expressão que suprem a necessidade de ligar-se aos outros e ajudam a pessoa a sentir-se amada e apreciada.

Vênus, nas mulheres, tem relação com o ego feminino. A mulher precisa viver as qualidades do seu signo de Vênus a fim de sentir-se feminina. Ele mostra também a maneira como a mulher recebe e dá de si mesma no amor e no sexo. Vênus, via de regra, atua mais como indicador sexual para as mulheres do que para os homens. Ele indica a maneira como a mulher encara qualquer relacionamento que pode acabar levando ao sexo, bem como as relações sociais menos íntimas.

Para os homens, Vênus se associa a romance, beleza e imagens que lhe parecem particularmente encantadoras e atraentes. Descreve o tipo de mulher que exerce atração erótica sobre um homem, que satisfaz seus conceitos estéticos e desperta seus sentimentos.* Vênus também se relaciona com os ideais do homem em termos de amor, sexo e relacionamentos. Via de regra, entretanto, Vênus não é especificamente sexual; para os homens, Marte simboliza muito mais a energia sexual. Na natureza sexual das mulheres, contudo, tanto as energias de Vênus como as de Marte são componentes importantes; elas se misturam e, em geral, são mais inseparáveis do que acontece com a maioria dos homens.

> *Vênus em signos de Fogo*:
> Afeto e apreciação apresentam uma expressão energética, direta e grandiosa
> Sente amor e ligação com o outro pela participação conjunta em atividades vigorosas, pelas aspirações e entusiasmos compartilhados
> *Vênus em signos de Terra*:
> Afeto e apreciação apresentam uma expressão palpável, confiável e física
> Sente amor e ligação com o outro por meio do compromisso e da construção da vida em comum, bem como por meio do prazer sensual e da divisão de responsabilidades
> *Vênus em signos de Ar*:
> Afeto e apreciação expressam-se por meio de intensa comunicação intelectual e senso de companheirismo
> Sente amor e ligação com o outro por meio do diálogo, da afinidade mental, do convívio social mutuamente agradável
> *Vênus em signos de Água*:
> Afeto e apreciação apresentam uma expressão emocional e solidária
> Sente amor e ligação com o outro por meio do intercâmbio de sensibilidade e sentimentos num nível sutil, levando a uma sensação de profunda fusão

---

*A ênfase de Vênus de despertar os sentimentos de maior carga erótica, a sensualidade e o romantismo. A Lua, no mapa de um homem, representa o tipo de mulher capaz de atraí-lo em vários outros níveis de companheirismo, capaz de despertar outros sentimentos, tais como a necessidade de segurança, de apoio, de cuidado, e a sensibilidade de modo geral.

MARTE

O elemento de Marte mostra os tipos de experiência e modos de atividade que estimulam a energia física da pessoa, o tipo de energia que ela procura usar para afirmar-se. O elemento do Marte de uma pessoa é a energia que supre sua necessidade de estímulo físico e o modo pelo qual ela é capaz de expressar sua agressividade e provar sua força. Indica o método específico usado para conseguir o que se deseja: *Marte em Ar* usa a persuasão; *Marte em Fogo* usa a força e a iniciativa; *Marte em Terra* usa a paciência e a eficiência; *Marte em Água* usa a intuição, a dissimulação e uma persistência até certo ponto imbatível.

Para um homem, Marte mostra como ele se projeta vigorosamente, assertivamente e sexualmente. Indica como ele mostra sua força na relação sexual, e como expressa sua masculinidade em tudo que diz respeito à liderança e iniciativa. Está, portanto, associado ao "ego masculino" do homem.

No mapa de uma mulher, Marte é também uma forte imagem masculina da psique; está intimamente associado à imagem romanticamente excitante que desperta sua energia e ajuda-a a se expressar. O signo e os aspectos de Marte muitas vezes indicam que tipo de homem uma mulher acha fisicamente atraente.

Marte em signos de Fogo:
Afirma-se pela ação física direta, pela iniciativa e pela irradiação expansiva de energia
A energia física é estimulada pelo movimento constante, pelo entusiasmo confiante e pela ação dinâmica
Marte em signos de Terra:
Afirma-se pela realização concreta que exige paciência e persistência
A energia física é estimulada pelo trabalho árduo, pela autodisciplina, pelo desafio e pelo dever
Marte em signos de Ar:
Afirma-se pela expressão de ideias, pela comunicação ativa e pela vigorosa imaginação

A energia física é estimulada por desafios mentais, atuação social, relacionamentos e ideias novas
Marte em signos de Água:
Afirma-se pela sutileza emocional e pela persistência, assim como pelo apelo aos mais profundos sentimentos e necessidades dos outros
A energia física é estimulada por anseios profundos, pela sensação de ser necessário aos outros, pelas intuições sutis e pela intensidade da experiência emocional

JÚPITER

O elemento de Júpiter mostra que tipos de experiência e modos de atividade geram fé interior e confiança em si. Em outras palavras, a pessoa, quando atua no nível indicado pelo elemento de Júpiter, é capaz de experimentar uma sensação protetora de unidade com um poder ou plano maior, uma sensação de bem-estar. As oportunidades surgem através da expressão da energia daquele momento. Júpiter indica uma caudalosa torrente de vitalidade que se escoa naturalmente, contribuindo assim para a boa saúde da pessoa.

Júpiter em signos de Fogo:
A fé interior vem quando a pessoa está expansiva, entusiástica, afirmativa e fisicamente ativa
As oportunidades são estimuladas quando a pessoa assume riscos para expressar-se e tentar coisas novas
Júpiter em signos de Terra:
A fé interior vem quando a pessoa se sintoniza com a praticidade, a confiabilidade e as experiências dos sentidos
As oportunidades são estimuladas quando a pessoa trabalha com afinco, assume responsabilidades e sintoniza-se com a natureza e seu ritmo
Júpiter em signos de Ar:
A fé interior é estimulada pela exploração de ideias novas, pela comunicação com pessoas novas e pelas melhorias sociais
As oportunidades vêm quando a pessoa expressa ideias com entusiasmo e interage com os outros visando uma meta futura

Júpiter em signos de Água:
 A fé interior é estimulada pela profundidade da experiência emocional e pela expressão positiva da compaixão e da imaginação
 As oportunidades vêm quando a pessoa está sendo sensível e solícita com os outros, e quando se guia intuitivamente pelos anseios íntimos

SATURNO

O elemento de Saturno no mapa de uma pessoa geralmente indica um desafio; a pessoa está trabalhando no sentido de aceitar plenamente, sem medo, o nível de experiência representado por aquele elemento em particular. Esse medo é muitas vezes decorrência de um antigo padrão de vida que agora já se tornou intoleravelmente rígido e opressivo; a cautela e a disciplina associadas a esse padrão ainda podem ser proveitosas para o crescimento da pessoa, caso sejam aceitas como uma força motivadora de uma expressão consistente e concreta naquela área da vida.

O elemento de Saturno indica em que nível de expressão a pessoa tende a ser inibida, e onde sua energia está bloqueada ou restringida. Esse bloqueio interno surge porque o nível de experiência em questão é demasiado importante para a pessoa. Por conseguinte, ela tende a deixar-se desconcentrar totalmente por essa área da vida. Ou por tentar expressar a energia com demasiado empenho, ou por evitá-la ou reprimi-la, a pessoa tende a restringir o fluxo natural da energia.

Saturno em signos de Fogo:
 Necessidade de estabilizar a própria identidade e de expressar a energia criativa com mais regularidade e objetividade
 É preciso esforçar-se para conseguir uma autoexpressão mais livre, com entusiasmo e responsabilidade
Saturno em signos de Terra:
 Necessidade de estabilizar a própria eficiência e precisão no trabalho e na condução das responsabilidades do dia a dia
 É preciso esforçar-se para dominar o mundo físico e desenvolver a capacidade de usar métodos sistemáticos

Saturno em signos de Ar:
　Necessidade de estabilizar o raciocínio e disciplinar a mente sem cair no pensamento negativo
　É preciso esforçar-se para comunicar-se com clareza e praticidade, bem como para lidar eficientemente com as responsabilidades sociais com sinceridade, mantendo ao mesmo tempo uma perspectiva imparcial

Saturno em signos de Água:
　Necessidade de estabilizar as emoções e a sensibilidade, e de expressar os sentimentos tentando, ao mesmo tempo, ser mais desprendido
　É preciso esforçar-se para expressar os sentimentos com autoaceitação e ao mesmo tempo controlar o excesso de sensibilidade

Urano, Netuno e Plutão nos elementos

Para entender o mapa natal de uma pessoa, a posição por elemento desses três planetas exteriores é relativamente sem importância. Cada um desses três planetas permanece num determinado elemento (e signo) por um bom número de anos e, dessa forma, só se pode inferir pouco significado *individualizado* de um fator comum a tantas pessoas. A ênfase elementar revelada pelo posicionamento dos planetas exteriores, durante um período de alguns anos, interessa basicamente para esclarecer diferenças entre gerações e mudanças mais sutis na psicologia de massas em âmbito mundial.

Os planetas nos signos

Signos zodiacais e seus conceitos-chave

Signos de Fogo	*Conceito-Chave*	*Um planeta neste signo será matizado por essas qualidades*
CARDEAL: ÁRIES	Liberação de energia numa única direção, voltada para a experiência nova	Impulso voluntarioso para agir, autoafirmação
FIXO: LEÃO	Calor constante de lealdade e vitalização irradiante	Orgulho e necessidade de reconhecimento, senso de dramatização
MUTÁVEL: SAGITÁRIO	Inquieta aspiração impulsionando para um ideal	Crenças, generalizações, ideais

Signos de Terra	*Conceito-Chave*	*Um planeta neste signo será matizado por essas qualidades*
CARDEAL: CAPRICÓRNIO	Determinação impessoal de levar algo a cabo	Autocontrole, cautela, discrição e ambição
FIXO: TOURO	Profunda apreciação das sensações físicas imediatas	Possessividade, retentividade, firmeza
MUTÁVEL: VIRGEM	Prestimosidade espontânea, humildade, necessidade de ser útil	Perfeccionismo, análise, discriminação apurada

Signos de Ar	*Conceito-Chave*	*Um planeta neste signo será matizado por essas qualidades*
CARDEAL: LIBRA	Harmonização de todas as polaridades visando completar-se	Equilíbrio, imparcialidade, tato
FIXO: AQUÁRIO	Cooperação desprendida entre todas as pessoas e conceitos	Liberdade individualista, extremismo
MUTÁVEL: GÊMEOS	Percepção imediata e verbalização de todas as conexões	Curiosidade inconstante, loquacidade, afabilidade

Signos de Água	Conceito-Chave	Um planeta neste signo será matizado por essas qualidades
CARDEAL: CÂNCER	Empatia instintiva que nutre e protege	Sentimento, discrição, mudanças de humor, sensibilidade, autoproteção
FIXO: ESCORPIÃO	Perspicácia obtida através de forte pujança emocional	Desejos compulsivos, profundidade, paixões controladas, segredo
MUTÁVEL: PEIXES	Compassividade voltada para curar tudo o que sofre	Anseios profundos, idealismo, identificação com o todo, inspiração, vulnerabilidade

Funções dos planetas nos signos

A posição deste planeta por signo mostra:

Esses cinco são habitualmente chamados "planetas pessoais":

SOL: como a pessoa *é* (o tom do ser) e como *sente* a vida e *expressa* sua individualidade
LUA: como a pessoa *reage* com base em predisposições subconscientes
MERCÚRIO: como a pessoa *pensa* e *se comunica*
VÊNUS: como a pessoa *exprime afeto, sente-se apreciada* e *dá de si mesma*
MARTE: como a pessoa se *autoafirma* e *exprime seus desejos*

Esses dois planetas formam um par complementar e servem de ponte entre os pequenos interesses pessoais e os interesses maiores relativos a princípios e à sociedade:

JÚPITER: como a pessoa procura *crescer, progredir* e *ter confiança* na vida
SATURNO: como a pessoa procura *firmar* e *preservar* o *eu* por meio do esforço.

Esses três planetas exteriores representam fontes profundas de mudanças e podem ser denominados planetas ou energias "transformadores":

As posições por signo de URANO, NETUNO e PLUTÃO indicam atitudes próprias de gerações; no mapa individual, contudo, seus signos têm importância muito menor do que suas posições por casa e seus aspectos.

O Sol nos signos — diretrizes de interpretação

POSIÇÃO DO SOL POR SIGNO: COMO O INDIVÍDUO É — O TOM PESSOAL DO SER — E COMO ELE SENTE A VIDA E EXPRESSA SUA INDIVIDUALIDADE

Diretrizes de interpretação para o Sol em Áries:
- Irradia uma vitalidade vigorosa e confiante
- Tenta satisfazer a necessidade de reconhecimento por meio da autoafirmação e de atos diretos e competitivos
- A vigorosa afirmação da individualidade é necessária para uma plena autoexpressão
- Vê a si mesmo como um explorador, um pioneiro, o primeiro a dar início a uma aventura; capta rapidamente o essencial
- Pode antagonizar os outros pela expressão demasiado pujante da individualidade

Diretrizes de interpretação para o Sol em Touro:
- A vitalidade tem raízes em sensações físicas concretas
- Precisa ser reconhecido pela sua confiabilidade e pela capacidade de produzir
- A expressão criativa resulta em objetos palpáveis ou na acumulação de recursos
- Orgulha-se de suas posses, de seu patrimônio e da própria estabilidade
- A expressão da individualidade pode ser prejudicada pela hesitação e pela relutância em mudar

Diretrizes de interpretação para o Sol em Gêmeos:
- A energia criativa volta-se para a percepção, a coleta de fatos, a formulação de perguntas e a descoberta de conexão entre as ideias
- Precisa expressar-se verbalmente e ser reconhecido pela capacidade intelectual

Irradia uma energia instável, loquaz, mental
A livre conexão entre ideias e uma ampla variedade de contatos sociais são necessários para a plena autoexpressão
Dificuldade em empenhar-se continuamente numa só área devido à ampla diversidade de interesses.

Diretrizes de interpretação para o Sol em Câncer:
Sente força por meio do desenvolvimento dos outros, da sensibilidade, do cuidado com os outros
Sente uma necessidade instintiva de proteger o seu ego; constrói em seu íntimo um ninho de onde o seu eu pode irradiar-se com segurança
O grau de vitalidade e de energia criativa depende do estado de espírito, sendo portanto difícil de manter
Expressa-se criativamente por meio das emoções, e sente necessidade de ser reconhecido pela sua sensibilidade
O senso de individualidade se expressa com mais desembaraço num ambiente bem conhecido e protegido

Diretrizes de interpretação para o Sol em Leão:
Expressa-se com vitalidade irradiante e calorosa e necessidade constante de ser notado
A energia criativa é matizada pelo senso de dramatização e grandeza
É motivado pela necessidade de ter sua generosidade reconhecida
Transmite confiança e incentiva os outros; é capaz de infundir vitalidade a qualquer empreendimento
O orgulho é a característica predominante da personalidade; sincero, porém infantil, suas emoções estão sempre atuantes

Diretrizes de interpretação para o Sol em Virgem:
Direciona a energia criativa analiticamente e com discriminação
É motivado pela necessidade de ser útil, de prestar serviços de uma forma palpável
Irradia inteligência e vitalidade serena
Sintonia profunda com os valores essenciais, o serviço e a necessidade constante de aprimorar-se
O senso de individualidade humilde e despretensioso pode prejudicar o reconhecimento público

Diretrizes de interpretação para o Sol em Libra:
A energia criativa é voltada para as relações interpessoais e o pioneirismo no nível das ideias
Necessidade de ser reconhecido pela imparcialidade, pela equanimidade, pela gentileza e pela capacidade de harmonizar energias opostas
Irradia uma vitalidade sociável, elegante, intelectual e uma aguçada sensibilidade à beleza
Impulso constante no sentido de instaurar o equilíbrio em seus relacionamentos e em seu estilo de vida
O senso de individualidade pode ser eliminado devido ao desejo excessivo de agradar os outros

Diretrizes de interpretação para o Sol em Escorpião:
A energia criativa vai além da superfície da experiência através de intenso poder emocional e intuição
Necessidade de expressar a própria energia transformadora, muitas vezes tentando mudar o *status quo*
Desejo ardente de intensidade, envolvendo o âmago da experiência humana, o que muitas vezes procura em relacionamentos profundos e simbióticos (em geral extremamente sexualizados)
O grau de vitalidade está ligado a desejos compulsivos íntimos e constantes — às vezes obsessivos
O fluxo de expressão criativa pode ser sustado devido a fixações emocionais, relutância em se abrir e medo de perder o controle

Diretrizes de interpretação para o Sol em Sagitário:
A energia é voltada para os próprios ideais e aspirações: além de expressá-los, muitas vezes promove-os junto aos outros
O senso de individualidade é matizado pelas crenças maiores e pela perspectiva filosófica otimista
Valoriza essencialmente a liberdade física e mental quase sem fronteiras
Irradia um espírito amigável, investigador, aberto — tem grande abertura mental e valoriza a honestidade
Necessidade de ser reconhecido pela natureza ética e íntegra; às vezes seus altos padrões podem levar à intolerância e à insensibilidade em relação aos outros

Diretrizes de interpretação para o Sol em Capricórnio:

A energia criativa é matizada por autocontrole, cautela, tradicionalismo

Valoriza essencialmente o trabalho diligente, a autoridade e a realização

Precisa trabalhar com um único propósito e com disciplina, buscando metas bem definidas, a fim de expressar-se plenamente

Sua capacidade de assumir responsabilidades afeta o grau de vitalidade e desenvolve seu senso de individualidade

O fluxo de expressão criativa pode ser paralisado pelo pessimismo, por uma atitude cínica ou por uma preocupação excessiva com a respeitabilidade e as aparências

Diretrizes de interpretação para o Sol em Aquário:

A energia volta-se para o bem-estar da sociedade e para os conceitos teóricos, principalmente através da inovação

Irradia uma energia mental amigável, voltada para as pessoas — muitas vezes com um toque de extremismo

O impulso de ser e criar é matizado pela liberdade, pela excentricidade e pela experimentação

Valoriza essencialmente a humanidade e o mundo do intelecto, tendo necessidade de descobrir o que é "certo" ou "verdadeiro"

A expressão da individualidade pode ser inibida pela modéstia, pelo excesso de importância atribuída ao dever ou pela rebeldia sem causa

Diretrizes de interpretação para o Sol em Peixes:

A energia criativa se expressa com sensibilidade e inspiração

Necessidade de ser reconhecido pela natureza dadivosa e compassiva

O senso de individualidade não tem um foco claro, devido à empatia com a vida e os problemas dos outros

Irradia um espírito curador e compassivo em relação a tudo o que sofre

A vitalidade e a autoexpressão são matizadas por anseios profundos, uma vulnerabilidade esmagadora e pelo estado da vida interior

A Lua nos signos — diretrizes de interpretação

POSIÇÃO DA LUA POR SIGNO: COMO O INDIVÍDUO REAGE COM BASE NA PREDISPOSIÇÃO SUBCONSCIENTE

Diretrizes de interpretação para a Lua em Áries:

☽ ♈ Reage agressivamente, impacientemente, energicamente, diretamente, competitivamente

Precisa autoafirmar-se a fim de se sentir emocionalmente seguro e pessoalmente adequado

Senso do eu confiante, voltado para a ação e dirigido para experiências *novas*

Responde à experiência e ao ambiente liberando energia voltada para um único objetivo

As qualidades combativas podem prejudicar a conquista da segurança

Diretrizes de interpretação para a Lua em Touro:

☽ ♉ Reage vagarosamente a qualquer experiência; mantém a estabilidade e a compostura diante das solicitações externas

O contentamento interior vem através da espera, da quietude, da relação com o mundo da natureza

Abre-se aos sentidos físicos, retendo emocionalmente a sensação de tocar e saborear os prazeres do momento

O eu interior demora a mudar; conserva padrões de hábitos por um longo tempo, o que pode resultar em teimosia ou preguiça

Sente-se seguro em situações inalteráveis e previsíveis e à vontade com todos os estímulos sensuais

A ênfase da possessividade e da profunda necessidade de segurança e controle podem inibir o fluxo emocional

Diretrizes de interpretação para a Lua em Gêmeos:

☽ ♊ Reage rapidamente, observadoramente, instavelmente, com curiosidade interminável

Sente-se seguro ao reagir a uma diversidade de estímulos mentais e ao envolver-se com mais de uma atividade ao mesmo tempo

Adapta-se às mudanças usando a mente e fazendo conexões

Fala sobre a sua vida interior emocional: precisa verbalizar as emoções para sentir-se ligado a elas

O senso de segurança pode ser impedido pela dispersão da energia emocional em muitas direções

Diretrizes de interpretação para a Lua em Câncer:
☽ Reage com sensibilidade (às vezes exagerada) e protecionismo (em relação a si mesmo e aos outros)
♋ Sente-se seguro quando recebe e dispensa cuidados
Tem senso de oportunidade inato e capacidade de entrar em sintonia com intuições e sutileza emocionais
Extremamente sensível ao estado de espírito e às reações dos outros; muitas vezes fica à mercê das próprias oscilações de humor
Pode proteger exageradamente suas emoções; a forte lembrança das emoções passadas mantém-se para sempre, continuando a matizar suas atitudes nas situações atuais

Diretrizes de interpretação para a Lua em Leão:
☽ Reage calorosamente, generosamente, entusiasticamente
A sensação de segurança emocional vem do orgulho e da confiança em si
♌ Põe muita energia criativa no meio ambiente e pode dar apoio e incentivo aos outros
Adapta-se à vida dramatizando, criando situações novas, fazendo humor para divertir os outros
Confiante, criativo, a autoimagem está latente em todos os seus atos — muitas vezes com simplicidade infantil
A constante irradiação de sentimentos de orgulho e expansividade pode interferir com a receptividade aos outros

Diretrizes de interpretação para a Lua em Virgem:
☽ Reage pela adaptação prática a todos os estímulos
Responde analiticamente a todas as experiências;
♍ Precisa de ordem no meio ambiente para sentir-se à vontade
Trabalha as reações emocionais a fim de aperfeiçoar sua expressão
Prestar serviços e auxiliar os outros ajuda a ter uma autoimagem positiva e a superar uma tendência inata para a culpa e a falta de confiança em si
Sente-se seguro ao analisar o mundo físico e emocional e ao introduzir melhorias definidas e concretas
A necessidade de dissecar as emoções pode inibir a responsividade

Diretrizes de interpretação para a Lua em Libra:

☽ ♎ Reage objetivamente ao meio ambiente e a todas as experiências, com um senso de equidade altamente desenvolvido

Pensa antes de reagir; pesa todos os lados de uma situação, o que pode contribuir para a indecisão

A busca de equilíbrio e harmonização das polaridades é necessária para a tranquilidade emocional; ansioso por agradar e saber o ponto de vista dos outros

Sente-se seguro quando está envolvido em relacionamentos íntimos; sozinho, não se sente à vontade por muito tempo

A ênfase dada à elegância da conduta pode inibir a espontaneidade das reações emocionais e a verdadeira intimidade

Diretrizes de interpretação para a Lua em Escorpião:

☽ ♏ Reage intensamente, apaixonadamente, com uma pujança emocional sob controle

A autoimagem é afetada por emoções complexas e turbulentas; às vezes a confiança é minada por emoções negativas, ou sustentada por um ardente senso de propósito

A profundidade de sentimentos e o sigilo contribuem para a imagem enigmática e carismática da pessoa

A necessidade de ir ao fundo das experiências leva à compreensão dos motivos subjacentes ou a imaginar todo tipo de temíveis motivações nos outros

Sente-se alimentado quando está dando e/ou recebendo intensa energia emocional

O medo de ficar vulnerável e de perder o controle pode levar à repressão emocional

Diretrizes de interpretação para a Lua em Sagitário:

☽ ♐ Reage com entusiasmo e idealismo, baseando-se em crenças e filosofias

O contentamento interior vem quando tem ideais a atingir e difundir, quando está avançando em direção às suas metas futuras

Predisposição subconsciente para questionar, buscar sentido — atitude inata para com a vida caracterizada por largueza de vistas, tolerância, animação

Sente-se à vontade quando está explorando, viajando, ao ar livre; adora a sensação de liberdade

A tendência para crenças emocionais pode levar à credulidade, à arrogância, ao fanatismo ou ao moralismo presunçoso

Diretrizes de interpretação para a Lua em Capricórnio:

☽
♑
- Reage com autocontrole e determinação; às vezes reage automaticamente com forte negativismo
- Precisa administrar o mundo e os outros a fim de se sentir seguro, à vontade, e atingir suas metas; pode deixar de lado os interesses pessoais para cumprir seu dever
- Resposta controlada às experiências; protege cautelosamente uma energia autoritária e determinada
- Sente-se à vontade no papel de provedor, protetor; costuma assumir o controle das situações
- Sua necessidade emocional predominante, estar no comando ou ser uma autoridade, pode limitar sua capacidade para a intimidade e o cuidado emocional

Diretrizes de interpretação para a Lua em Aquário:

☽
♒
- Reage imprevisivelmente, excentricamente, com uma objetividade desapegada
- Sente-se seguro quando desfruta de completa liberdade de pensamento, autoexpressão e inovação
- Responde de modo individual, com base num senso do eu visto como único, altruísta e com consciência social
- Precisa de interação social para se sentir emocionalmente centrado e adequado
- Cuida dos outros incentivando sua liberdade, e sente-se amparado quando, em troca, recebe autonomia total
- A necessidade de ter independência emocional pode provocar o distanciamento dos verdadeiros sentimentos da pessoa e o alheamento em relação à sensibilidade dos outros

Diretrizes de interpretação para a Lua em Peixes:

☽
♓
- Reage sensivelmente, compassivamente, empaticamente, evasivamente, veneravelmente, idealisticamente
- Tem períodos de devaneio, com imaginação solta e sem um ponto de convergência, que ajudam a trazer tranquilidade emocional

Precisa da sensação de união com o mundo e com o universo para se sentir seguro e adequado

Cuida dos outros pela compaixão que cura e pela solidariedade; sente-se seguro ao servir à humanidade ou a um ideal espiritual

Os sentimentos sobre si mesmo são nebulosos, o que pode inibir a autocompreensão e a confiança

Flui facilmente com as situações instáveis; seu contentamento vem quando dá de si e/ou transcende o eu pessoal e seus temores

Mercúrio nos signos — diretrizes de interpretação

POSIÇÃO DE MERCÚRIO POR SIGNO: COMO O INDIVÍDUO PENSA E SE COMUNICA

Diretrizes de interpretação para Mercúrio em Áries:

Comunica-se assertivamente, vigorosamente, diretamente, confiantemente

O impulso desassossegado para agir está latente na forma vigorosa de falar e no uso criativo das habilidades

O confronto e a liberação vigorosa de energia são necessários para o aprendizado; capaz de captar intuitivamente o essencial

A capacidade de raciocínio é matizada pela liberação intencional de energia voltada para as experiências novas; portanto, frequentemente dá preferência aos pensamentos audaciosamente novos

O estabelecimento de uma verdadeira relação de troca com os outro pode ser prejudicado pela autoafirmação insensível e desatenciosa

Diretrizes de interpretação para Mercúrio em Touro:

Comunica-se com cuidado, certificando-se de cada palavra antes de dizê-la; expressa lentamente seus pensamentos

A necessidade de aprender propositadamente devagar pode limitar a variedade das percepções

Mente retentiva e estável, baseada na consolidação das ideias; traz as ideias para a realidade em busca de uma aplicação prática

Impulso para expressar as próprias percepções das sensações físicas; saboreia concretamente as palavras enquanto fala
A necessidade de fazer contato com os outros fica restrita devido à relutância em abrir-se sem reservas e espontaneamente

Diretrizes de interpretação para Mercúrio em Gêmeos:

☿ Comunica-se fluentemente, rapidamente, habilmente e inteligentemente — às vezes superficialmente
♊ Impulso para expressar imediatamente suas percepções
Precisa aprender estabelecendo e identificando conexões entre pessoas e ideias
A mente, instável e curiosa, se expressa por meio de interações amigáveis com os outros e perguntas intermináveis
O alto grau de energia nervosa manifesta-se na fala, na escrita e em outras formas de destreza manual/mental

Diretrizes de interpretação para Mercúrio em Câncer:

☿ Comunica-se emocionalmente, instintivamente e sensivelmente; protege os próprios pensamentos
♋ Aprende pela absorção, contando com os sentimentos para estabelecer conexões entre dados
Cultiva as ideias novas até elas florescerem como habilidades criativas
A boa memória e a capacidade de retenção contribuem para o aprendizado
Preconceitos e medos subconscientes podem interferir com a objetividade e a atenção dadas a novas ideias

Diretrizes de interpretação para Mercúrio em Leão:

☿ Comunica-se energeticamente, radiantemente, orgulhosamente
♌ Cordialidade, afeto e vontade forte motivam a necessidade de fazer contatos
A comunicação é matizada pelo senso teatral, pelo humor e pelo pendor criativo
O orgulho e o impulso pelo reconhecimento dão brilho à expressão das percepções
Precisa de um envolvimento criativo a fim de aprender; dá saltos intuitivos em vez de fazer associações lógicas

O envolvimento do ego com o processo de raciocínio pode prejudicar a objetividade e diminuir a flexibilidade e a retenção de fatos

Diretrizes de interpretação para Mercúrio em Virgem:
☿ Comunica-se logicamente, criticamente, prestimosamente, humildemente — às vezes negativamente e ceticamente
♍ Impulso para expressar as próprias percepções com realismo, demonstrando sua capacidade analítica
Necessidade de discriminar as ideias e colocá-las em sequência lógica com vistas a um aprendizado
Suas ideias práticas e proveitosas contribuem para a capacidade de entrar em contato com os outros
A atenção exagerada aos detalhes pode prejudicar a percepção do ponto de vista mais amplo e de todas as suas interconexões e implicações mais gerais

Diretrizes de interpretação para Mercúrio em Libra:
☿ Comunica-se inteligentemente, agradavelmente, diplomaticamente, elegantemente
♎ Impulso para exprimir as próprias percepções harmoniosamente — de um modo equânime e objetivo — para equilibrar todas as polaridades
Precisa ser imparcial e ter tato a fim de entrar em contato com os outros
A expressão verbal é matizada pelo senso artístico e estético
Procura o equilíbrio e a objetividade nas interações pessoais, e precisa de *feedback* sobre suas ideias para esclarecê-las
A consciência de todos os pontos de vista pode prejudicar a capacidade de decidir

Diretrizes de interpretação para Mercúrio em Escorpião:
☿ Comunica-se poderosamente, profundamente, apaixonadamente (e muitas vezes não verbalmente!); capaz de formar ligações íntimas profundas por meio da comunicação
O impulso da expressão verbal vem das profundezas do ser e nunca é superficial
Profunda necessidade de aprender penetrando na realidade e esquadrinhando-a até o seu âmago; leva qualquer pesquisa até o fim e se interessa pela investigação
A compreensão objetiva pode ser prejudicada pela natureza da mente, demasiado intensa, voluntariosa e emocional

O uso das habilidades e da inteligência é influenciado por desejos ardentes, paixões profundas e pelo impulso para descobrir as motivações secretas dos outros

A capacidade de fazer contato com os outros pode ser inibida pela necessidade de manter sigilo e silêncio

Diretrizes de interpretação para Mercúrio em Sagitário:

Comunica-se abertamente, honestamente, de maneira otimista, entusiástica e tolerante

A necessidade de aprender expressa-se através de uma inquieta aspiração impulsionando para um ideal

O pensamento e o raciocínio norteiam-se por metas de longo prazo e não por detalhes rotineiros

Interessa-se por ensinar aos outros o que aprendeu; vê uma estreita relação entre ensino e aprendizado

Necessidade de ligar-se aos outros sendo direto, verdadeiro e mentalmente tolerante

A coerência dos pensamentos pode ser turvada pelo excesso de generalizações motivadas pelas aspirações idealistas

Diretrizes de interpretação para Mercúrio em Capricórnio:

Comunica-se seriamente, cautelosamente, com forte senso de autoridade; às vezes pensa usando categorias rígidas

A persistência, a ambição e o progresso constante suprem a necessidade de aprender

Impulso autocontrolado para expressar as percepções e a inteligência pela manipulação do mundo físico, e pela obtenção de resultados práticos a partir das teorias

A discrição, a autosuficiência e a formalidade podem inibir a forma de comunicação com os outros

A razão e a capacidade de discriminação são postas a serviço de uma meta a atingir; a aguda percepção da realidade prática pode levar a dar mais destaque às limitações do que às possibilidades

Diretrizes de interpretação para Mercúrio em Aquário:

Comunica-se abertamente, inteligentemente, idealisticamente, de forma distanciada

Necessidade de estabelecer ligações diferenciadas com os outros, relacionando-se individualmente com cada pessoa, ao mesmo tempo em que tem acentuada percepção dos processos de comunicação de grupo

O impulso para expressar as percepções e a inteligência é matizado pela liberdade individualista, e muitas vezes pelo extremismo

Pensa de forma experimental e inovadora, testando as teorias com os outros; voltado para o futuro, gosta de explorar possibilidades de mudança

A independência, a inventiva e o desprendimento intelectual contribuem para o processo de aprendizado

A expressão de ideias pode ser errática, fragmentada por ligações imprevistas entre conceitos desconexos

Diretrizes de interpretação para Mercúrio em Peixes:

☿ ♓ Comunica-se sensivelmente, idealisticamente, poeticamente, evasivamente, imaginativamente

A compaixão motiva a expressar as percepções e a inteligência com simpatia

Entra em contato psíquico e espiritual com os outros; percebe a comunicação em mais de um nível

A energia verbal é inspirada pela flexibilidade e pela capacidade de síntese

A razão e a capacidade de discriminação podem ser obscurecidas pela confusão, pelo devaneio e pela autoilusão

Vênus nos signos — diretrizes de interpretação

POSIÇÃO DE VÊNUS POR SIGNO: COMO O INDIVÍDUO EXPRIME O AFETO, SENTE-SE APRECIADO E DÁ DE SI MESMO

Diretrizes de interpretação para Vênus em Áries:

♀ ♈ Exprime o afeto diretamente, impulsivamente, entusiasticamente

Os gostos e prazeres de cunho emocional florescem quando a energia se volta para experiências novas;

Gosta particularmente dos estágios iniciais dos relacionamentos

A necessidade de ligação com o outro pode ser frustrada devido ao alto grau de autoafirmação e exigências; dessa forma, às vezes é difícil chegar à intimidade

Valoriza a individualidade, a iniciativa e a independência, em si e nos outros

Dá de si mesmo energicamente, e responde à vigorosa liberação de energia dos outros

Diretrizes de interpretação para Vênus em Touro:

♀ Exprime o afeto fisicamente, calorosamente, estavelmente, possessivamente

♉ Dá de seus próprios recursos interiores; responde à energia sensual e profundamente centrada dos outros

A necessidade de dar seu afeto pode ser tolhida pela avareza emocional, pela possessividade ou pela relutância em liberar seus sentimentos ou perder o controle

Aprecia intensamente as sensações físicas: visão, som, aroma, paladar, tato; gosta do contato com a natureza

Valoriza o conforto e o controle material, o luxo e os objetos bonitos

Diretrizes de interpretação para Vênus em Gêmeos:

♀ Exprime o afeto verbalmente, inteligentemente, despreocupadamente, jocosamente

♊ Precisa falar imediatamente sobre o que pensa e percebe, a fim de sentir-se próximo ao outro

Os gostos de cunho emocional estão sempre mudando conscientemente; dá muito valor à diversidade e à comunicação mental

O impulso do prazer é matizado pela curiosidade instável, pela loquacidade e pela amabilidade; sente atração pela inteligência e pela presença de espírito

A necessidade de variar e ter sempre estímulos novos pode inibir as oportunidades de ter relacionamentos duradouros e profundidade interpessoal que vá além da superfície

Diretrizes de interpretação para Vênus em Câncer:

♀ Exprime o afeto sensivelmente, confortantemente, protetoramente, tenazmente

♋ Precisa cuidar e ser cuidado, sentir-se parte de uma família, para ficar à vontade

O impulso do prazer e da intimidade pode ser prejudicado pela instabilidade de humor, pela timidez, pela avareza e por sentimentos excessivamente autoprotetores; tem facilidade em refletir os prazeres e estados de espírito dos outros

A receptividade e a dependência sempre fazem parte da sensação de intimidade

Diretrizes de interpretação para Vênus em Leão:
♀ Exprime o afeto calorosamente, dramaticamente, entusiasticamente
♌ Os gostos de cunho emocional são influenciados pelo orgulho e pela necessidade de reconhecimento
Dá de si mesmo com vitalidade criativa, e recebe dos outros com elegância e orgulho
A sociabilidade e a expressão do amor são matizadas pela jocosidade, pela generosidade e pela lealdade
O intercâmbio de sentimentos mais profundos com o outro pode ser dificultado pela necessidade de ser o centro das atenções ou de dominar a vida emocional do outro

Diretrizes de interpretação para Vênus em Virgem:
♀ Exprime o afeto realisticamente, modestamente, solicitamente, timidamente
♍ A necessidade de prestar serviços e ser útil gera satisfação emocional
Sente prazer com a atenção minuciosa a detalhes e com a atividade mental analítica
Precisa de lógica e praticidade para se sentir à vontade e em harmonia
O excesso de solicitude, as críticas banais ou a reserva natural podem interferir com o intercâmbio emocional e a expressão da paixão

Diretrizes de interpretação para Vênus em Libra:
♀ Expressa o afeto alegremente, atenciosamente, charmosamente, harmoniosamente
♎ A troca com os outros é matizada por equilíbrio, equanimidade e delicadeza
Os gostos de cunho emocional são afetados pela necessidade de harmonizar as polaridades e de valorizar a simetria e a beleza tradicional
Tem profunda necessidade de paz, tranquilidade e harmonia para se sentir à vontade e ter prazer; por isso pode evitar os intercâmbios emocionais desagradáveis e, dessa forma, limitar o alcance da intimidade
Precisa criar relacionamentos baseados na igualdade de participação e cooperação para liberar suas emoções

Diretrizes de interpretação para Vênus em Escorpião:
♀ Exprime o afeto intensamente, apaixonadamente, obsessivamente; sentimentos radicais e monopolizantes
♏ O impulso do prazer é matizado por desejos compulsivos, profundidade e emoções ardentes
A troca com os outros gera uma energia curativa e transformadora
As necessidades sociais e amorosas podem ser frustradas pela tendência ao segredo e pela relutância em confiar nos outros
Precisa ir fundo no relacionamento, com intensa força emocional, a fim de sentir-se ligado ao outro

Diretrizes de interpretação para Vênus em Sagitário:
♀ Expressa o afeto livremente, entusiasticamente, generosamente e idealisticamente
♐ O impulso inquieto de seguir em frente e ter muitas aventuras pode interferir com a formação de relacionamentos íntimos
A maneira de relacionar-se com os outros é fortemente matizada pelas crenças e metas; nos relacionamentos íntimos, sente necessidade de afinidade filosófica
Precisa sentir-se livre para andar sem destino e fazer exploração a fim de ficar à vontade e em harmonia
Tem atitudes tolerantes e abertas em relação a amor e romance; valoriza a honestidade nos relacionamentos e pode, inconscientemente, passar por cima dos sentimentos dos outros

Diretrizes de interpretação para Vênus em Capricórnio:
♀ Expressa o afeto cautelosamente, seriamente, conscienciosamente e mecanicamente
♑ A necessidade de prazer e amor pode ser inibida pela atitude medrosa e desconfiada, ou pela abordagem altiva e impessoal
Precisa ter certeza do compromisso do outro antes de liberar suas emoções mais profundas; é capaz de ser leal e de enfrentar o trabalho e as responsabilidades dos relacionamentos
O impulso social é matizado pela perseverança, pela ambição, pelo conservadorismo e pela preocupação com a reputação
A necessidade de autocontrole e discrição emocional pode prejudicar o desenvolvimento de relacionamentos íntimos.

Diretrizes de interpretação para Vênus em Aquário:
♀ Expressa o afeto livremente, inconvencionalmente, experimentalmente; gosta de flertar
♒ A atitude distante e impessoal pode interferir com os relacionamentos íntimos; os outros podem achá-lo uma pessoa fria e altiva
Gosta da troca de teorias, ideias e fantasias da imaginação (muitas vezes humorísticas) com a pessoa amada
O impulso amoroso e social é matizado pela liberdade individualista, pelo extremismo e pela rebeldia
Precisa de um convívio dinâmico com grande número de pessoas para poder liberar plenamente suas emoções

Diretrizes de interpretação para Vênus em Peixes:
♀ Expressa o afeto sensivelmente, delicadamente, compassivamente e solidariamente; é capaz de doar-se altruisticamente
♓ Sente profunda necessidade de uma harmonia mágica e romântica; entretanto, os desejos podem ser vagos e indistintos, deixando a pessoa vulnerável
O impulso social e amoroso é matizado pelo idealismo romântico; a pessoa idealiza os seres amados e o próprio amor
O escapismo, a evasão e a confusão podem minar a capacidade de dar de si e receber dos outros; a falta de discriminação pode dificultar a formação de relacionamentos firmes
A sensação de ligação com o outro é influenciada por anseios profundos e pelo impulso de unir-se psiquicamente ao outro; a empatia deriva da capacidade de se identificar com os sentimentos alheios

Marte nos signos — diretrizes de interpretação

POSIÇÃO DE MARTE POR SIGNO: COMO O INDIVÍDUO SE AFIRMA E EXPRESSA SEUS DESEJOS

Diretrizes de interpretação para Marte em Áries:
♂ Afirma-se competitivamente, diretamente, impacientemente
♈ Liberação de energia física com um único objetivo voltada para experiências novas; frequentemente, aptidão para dar início a empreendimentos e/ou aptidão mecânica

Impulso voluntarioso para agir, voltado energicamente para a satisfação de seus desejos; enfrenta os obstáculos diretamente, porém a imprudência pode impedir o sucesso

Iniciativa, força de vontade e agitação caracterizam o método de agir, bem como a capacidade intuitiva de captar o essencial

O impulso sexual e a energia física têm uma expressão impulsiva, enérgica e confiante

Diretrizes de interpretação para Marte em Touro:

♂ Afirma-se firmemente, retentivamente, conservadoramente, teimosamente

♉ Atos firmes voltados para a consolidação, a produtividade e o gozo dos prazeres simples; frequente tendência criativa e/ou artística

A iniciativa e o ímpeto são matizados por preocupações e possessividades; às vezes, por lentidão ou preguiça

A consecução dos desejos pode ser frustrada pelo contentamento e pela satisfação com as coisas tais como são

A energia física e o impulso sexual são influenciados por um profundo apreço das sensações físicas e dos ritmos naturais da vida

Diretrizes de interpretação para Marte em Gêmeos:

♂ Afirma-se flexivelmente, verbalmente, inteligentemente, comunicativamente, por meio de um grande número de habilidades especializadas

♊ Os desejos prioritários mudam depressa e muitas vezes; frequentemente, não está certo do que quer e, assim, muda facilmente de rumo

A energia física e o impulso sexual são afetados por tudo o que estimula a mente — conversas, imagens, ou ideias novas e intrigantes; tem a mente bastante aberta

A firmeza é influenciada por circunstâncias momentâneas e percepções imediatas

A ação e a iniciativa voltam-se para o estabelecimento de conexões, usando a mente para assimilar fatos novos e desenvolver novas habilidades, e para a expressão de uma amabilidade quase sem fronteiras

Diretrizes de interpretação para Marte em Câncer:

♂ Afirma-se sensivelmente, timidamente, indiretamente, simpaticamente

♋ Tem necessidade de se sentir ligado às suas raízes e tradições para tornar claros seus desejos e entender seu rumo na vida

A iniciativa e a força de vontade podem ser dificultadas pelo desalento e pela autoproteção cautelosa, mas é capaz de agir destemidamente em apoio às pessoas que ama

A energia física e sexual e a determinação são inibidas por sentimentos, temores e senso de vulnerabilidade inconsciente, e estimuladas pela sensação de estar sendo cuidado e protegido

Vai ao encalço de seus desejos com tenacidade e intuição; tem instinto de autopreservação e senso de oportunidade na busca de suas metas

Diretrizes de interpretação para Marte em Leão:

♂ Afirma-se dramaticamente, cordialmente, radiantemente, expressivamente, arrogantemente

♌ A expressão dos desejos é fortemente matizada pelo orgulho e pela necessidade de ser reconhecido

A iniciativa e o ímpeto são expressos com confiança, criatividade e grande vitalidade

Precisa ser elogiado e valorizado pela capacidade sexual, física ou criativa; a energia física e sexual é estimulada pela atenção e pela generosidade efusiva

Precisa expressar-se de modo impositivo e dinâmico para conseguir o que deseja; muitas vezes pressiona os outros e é muito dominador

Diretrizes de interpretação para Marte em Virgem:

♂ Afirma-se modestamente, solicitamente, analiticamente, conscienciosamente — às vezes faz críticas banais

♍ A firmeza, a iniciativa e o modo de agir são matizados pelo perfeccionismo e pela apurada discriminação

Os atos enérgicos podem ser impedidos pela autocrítica e pela atenção exagerada aos detalhes

Tem uma necessidade subjacente de prestar serviços que influenciam a energia física e a força de vontade; é capaz de trabalhar com afinco, energia e inteligência prática

Precisa esforçar-se para ser perfeito para conseguir o que deseja

Diretrizes de interpretação para Marte em Libra:

♂ Afirma-se socialmente, cooperativamente, charmosamente, relacionando-se diretamente com as pessoas

♎ O desejo de harmonizar todas as polaridades respalda a vontade de agir

A energia física e a firmeza são fortemente afetadas pelos relacionamentos íntimos e pelas influências estéticas
A iniciativa e o ímpeto voltam-se, com tato e tática, para o equilíbrio e a justiça
O empenho para conseguir o que quer pode ser dificultado pela indecisão, enquanto a pessoa avalia as opções

Diretrizes de interpretação para Marte em Escorpião:
Afirma-se intensamente, magneticamente, ardentemente e poderosamente
A energia física e a iniciativa são movidas por fortes desejos, compulsões e desafios; capaz de demonstrar grande resistência
O impulso sexual é motivado pela necessidade de compartilhar uma profunda ligação emocional e de experimentar uma profunda intensidade
Precisa canalizar e transformar a força emocional para concretizar eficazmente seus desejos
A firmeza e a liberdade de expressão são dificultadas pelo sigilo e pela necessidade de se proteger e ter controle absoluto

Diretrizes de interpretação para Marte em Sagitário:
Afirma-se honestamente, idealisticamente, energicamente, impulsivamente; não tem tato
Seus desejos são moldados por suas crenças, ética e inspirações
A firmeza e os atos enérgicos são motivados pela aspiração a um ideal ou por uma visão norteadora do futuro
A excitação física e sexual é estimulada pelas atividades aventurosas
A iniciativa e o ímpeto são matizados por uma grande necessidade de se aprimorar e por uma inquieta necessidade de explorar

Diretrizes de interpretação para Marte em Capricórnio:
Afirma-se cautelosamente, seriamente, autoritariamente, ambiciosamente, com acentuada autodisciplina
A firmeza é acompanhada por planejamento cuidadoso, previsão e paciência
A energia física e o ímpeto se voltam muitas vezes para metas pessoais materiais e realizações a longo prazo
Vai ao encalço do que deseja com firmeza e persistência, usando os canais convencionais
O impulso sexual é controlado, porém forte e sensual

Diretrizes de interpretação para Marte em Aquário:

♂ Afirma-se inteligentemente, de maneira individualista, excentricamente e independentemente
♒ A iniciativa e a força de vontade são matizadas pela necessidade de desfrutar de ampla liberdade de expressão
A realização das metas pode ser frustrada pela rebeldia, porém a vontade de reformar e revolucionar pode ser canalizada para inovações criativas
O distanciamento e a objetividade científica podem dificultar a expressão de desejos apaixonados
A energia física e o impulso sexual são estimulados pela sensação de liberdade, experimentação e pela excitação provocada por novas possibilidades e ideias

Diretrizes de interpretação para Marte em Peixes:

♂ Afirma-se idealisticamente, empaticamente, tendendo ao acordo, com base na gentileza
♓ A iniciativa e a força de vontade são matizadas pela sensibilidade e pela compaixão pelos outros
A autoafirmação e a firmeza são obstruídas pelo forte senso de vulnerabilidade pessoal e emocional
A energia física e o impulso sexual são sempre afetados por sonhos, estados de espírito e emoções
Vai ao encalço de seus desejos de maneira sutil, tendo como principal motivação a inspiração, a intuição ou uma visão norteadora

Júpiter nos signos — diretrizes de interpretação

POSIÇÃO DE JÚPITER POR SIGNO: COMO O INDIVÍDUO PROCURA CRESCER, PROGREDIR E TER CONFIANÇA NA VIDA*

Diretrizes de interpretação para Júpiter em Áries:

♃ ♈ Procura crescer e progredir por meio da atividade autoconfiante e autoafirmativa

Precisa depender de sua própria iniciativa e energia para ter fé na vida — muitas vezes sua capacidade de liderança é bem desenvolvida

As oportunidades surgem por meio da liberação de energia com um único objetivo voltado para a experiência nova

A agressividade, força e desassossego em demasia podem levar a pessoa a exceder-se, a correr riscos exagerados e a deixar passar oportunidades de desenvolvimento pessoal

Tem compreensão inata da importância da coragem e da fé em si mesmo

Diretrizes de interpretação para Júpiter em Touro:

♃ ♉ Procura crescer e progredir por meio da produtividade, da firmeza e da confiabilidade

---

* A importância de Júpiter no mapa natal é subestimada na interpretação e pela tradição. Na verdade, ele nos guia para o futuro e motiva o crescimento e o desenvolvimento futuros, principalmente em termos de ideias. Os significados mais profundos de Júpiter são quase sempre negligenciados, e é por essa razão que as diretrizes referentes a ele são, às vezes, mais elaboradas e detalhadas que as dos outros planetas. De uma certa forma, Júpiter é um princípio simples demais para uma era complexa, e filosófico demais para uma era relativista e materialista.

O signo de Júpiter dá sempre um tom marcante à personalidade de qualquer pessoa. As qualidades desse signo muitas vezes impregnam a personalidade e o caráter individuais. Em muitos casos, a pessoa apresenta, em grau extremamente desenvolvido, as energias, capacidades e qualidades desse signo, mesmo que, frequentemente, não lhes dê valor, pelo fato de dispor delas com tanta facilidade e naturalidade. Em resumo, não em todos os casos, mas na maioria, Júpiter eleva e enobrece, expressando, dessa forma, o lado mais generoso e positivo do seu signo.

O impulso de união com uma ordem maior é satisfeito pela profunda valorização do mundo físico; sua sensualidade é extremamente desenvolvida

A tentativa de melhorar de vida unicamente através do dinheiro, das posses e do luxo pode levar a uma atitude excessivamente materialista e esbanjadora

Tem uma compreensão ampla e tolerante da natureza humana e das necessidades humanas básicas de prazer

A fé na vida cresce com o contato com a natureza e com o modo simples de viver; expressa as qualidades mais nobres e generosas de Touro

Diretrizes de interpretação para Júpiter em Gêmeos:

Procura crescer e progredir por meio da comunicação, do desenvolvimento de uma ampla gama de habilidades e do aprendizado irrestrito

A fé vem através da percepção imediata e da verbalização de todas as conexões; os interesses amplamente diversificados contribuem para dar sentido à vida

O otimismo às vezes é tolhido pela curiosidade instável e pelo excesso de raciocínio e preocupação

Precisa cultivar a inteligência e a capacidade de raciocinar a fim de sentir fé em si mesmo e na vida; seu impulso de ligar-se a uma ordem maior é racional e lógico

Tem compreensão inata da importância da boa comunicação; quer beneficiar os outros sendo uma fonte de informações

Diretrizes de interpretação para Júpiter em Câncer:

Procura crescer e progredir pelo desenvolvimento dos valores da família e pelo apoio emocional

As oportunidades vêm através da expressão da empatia protetora e da capacidade instintiva de cuidar dos outros

Precisa ser sensível aos sentimentos dos outros para ter confiança em si mesmo; essa sensibilidade emocional geralmente é bem desenvolvida

A confiança num poder mais elevado pode ser refreada pelo excesso de retraimento, temor ou autoproteção

Tem compreensão inata da necessidade humana de segurança, e em geral expressa o lado mais dadivoso e generoso de Câncer

Diretrizes de interpretação para Júpiter em Leão:

♃ Procura crescer e progredir por meio da atividade criativa, pela expressão desenvolta da exuberante vitalidade, e por meio do incentivo cordial
♌ e firme aos outros

O expansionismo é matizado pelo orgulho e pela necessidade de reconhecimento; entende intuitivamente a necessidade de atenção e de autoconfiança das pessoas

A fé numa ordem superior pode ser tolhida pelo egoísmo e pela atitude arrogante e dominadora, mas em geral tem uma fé inata e inabalável na vida

A necessidade de causar impressão e ser reconhecido pelos outros leva à confiança em si; tem senso teatral bem desenvolvido e talento

Expressa a fé na vida como se esta fosse uma peça teatral; sente-se abençoado por estar desempenhando seu papel na vida, mas às vezes atribui a ele uma importância exagerada

Diretrizes de interpretação para Júpiter em Virgem:

♃ Procura crescer e progredir pela prestimosidade espontânea, pela consciência na prestação de serviços e pelo autodesenvolvimento sistema-
♍ tizado

Expõe-se humildemente à graça de um poder superior; confia, por natureza, na importância do trabalho assíduo e da autodisciplina

A necessidade expansionista de perfeição motiva sua abertura ao autoaperfeiçoamento

O excesso de atenção aos detalhes pode inibir a ligação com uma ordem maior, mas em geral tem um senso crítico bem desenvolvido, sem mesquinhez excessiva

Tem compreensão inata do modo de usar a própria capacidade de análise e discriminação

Diretrizes de interpretação para Júpiter em Libra:

♃ Procura crescer e progredir por meio de atitudes equilibradas e objetivas, equanimidade e maneira diplomática de agir
♎ Sua fé aumenta com as atitudes equilibradas, imparciais, pela largueza de visão

As oportunidades surgem por meio dos relacionamentos íntimos e, em geral, a capacidade de realizar intercâmbios pessoais sinceros é bem desenvolvida

O impulso voltado para uma ordem maior se expressa pela partilha, pela cooperação e pelo incentivo aos outros — às vezes por meio da arte ou da beleza
A necessidade de examinar todos os lados de uma questão pode minar as ações expansionistas e confiantes e a firmeza das opiniões

Diretrizes de interpretação para Júpiter em Escorpião:
Procura crescer e progredir pela transmutação dos desejos e compulsões, e pela compreensão invulgarmente completa da dinâmica da vida interior
As oportunidades vêm através da sagacidade no julgamento de pessoas e situações — engenhosidade e senso de oportunidade bem desenvolvidos
O expansionismo otimista e o desenvolvimento da fé podem ser dificultados por medo, sigilo e pela incapacidade de se abrir emocionalmente; entretanto, Júpiter muitas vezes expressa as qualidades mais nobres e elevadas de Escorpião
O impulso para ligar-se a algo maior que o eu expressa-se pela intensidade de experiência e profundidade de sentimentos; a confiança num poder superior vem quando procura e encara de frente essa intensidade
Precisa liberar sua poderosa energia transformadora para ter confiança em si mesmo

Diretrizes de interpretação para Júpiter em Sagitário:
Procura crescer e progredir aspirando a metas longínquas e guiando-se por sua fé inata na vida
A confiança numa ordem maior é favorecida pela orientação otimista e filosófica
Precisa tirar proveito das oportunidades de fazer explorações internas e externas para evoluir
O expansionismo exagerado pode levar ao dispêndio excessivo de energia e a deixar passar as oportunidades imediatas
Tem a capacidade inata e bem desenvolvida de valorizar a importância da dimensão religiosa da vida

Diretrizes de interpretação para Júpiter em Capricórnio:
Procura crescer e progredir pelo trabalho persistente, pela disciplina e pelo progresso constante
Precisa expressar as qualidades de autocontrole e conservadorismo con-

fiante a fim de progredir; tem uma aura natural de autoridade que inspira confiança nos outros

O otimismo e o expansionismo podem ser derrotados pela postura excessivamente séria e temerosa

A fé e a confiança baseiam-se na realidade, na experiência e na compreensão inata do valor da história e da tradição

As oportunidades vêm através da capacidade de ser confiável, responsável e paciente — qualidades que, em geral, são bem desenvolvidas

Diretrizes de interpretação para Júpiter em Aquário:

Procurar crescer e progredir através dos ideais humanitários, do desenvolvimento intelectual e das experimentações ousadas

O otimismo pode ser posto à margem pela postura excessivamente distante e descomprometida, mas em geral é generoso com os outros

Precisa sentir-se completamente independente do ponto de vista intelectual para ter plena confiança em si; tem, por natureza, uma atitude científica bem desenvolvida

Sua fé é excêntrica, individualista, não ortodoxa e peculiar

Acredita na unidade de todos os homens e de todo o conhecimento, e é muito liberal em relação a um amplo leque de formas de liberdade de expressão

Diretrizes de interpretação para Júpiter em Peixes:

Procura crescer e progredir vivendo os próprios ideais, expandindo sua solidariedade e grandeza de alma

Precisa ser compassivo e sensível para sentir fé em si mesmo

As iniciativas para satisfazer sua necessidade de autodesenvolvimento podem ser dificultadas por atitudes nebulosas e sem critério e pelo escapismo

A abertura à benevolência baseia-se na compaixão que sente em relação a tudo que sofre

Tem uma confiança bem desenvolvida num poder superior; entende a importância da devoção a um ideal e da abertura à dimensão espiritual das experiências

Saturno nos signos — diretrizes de interpretação

POSIÇÃO DE SATURNO POR SIGNO: COMO O INDIVÍDUO PROCURA FIRMAR-SE E PRESERVAR-SE PELO ESFORÇO

Diretrizes de interpretação para Saturno em Áries:

♄ Procura firmar-se e preservar-se empenhando-se vigorosamente em novas experiências
♈ O esforço dinâmico volta-se para a liberação de energia com um único objetivo; desenvolve-se cultivando a coragem e a ousadia
Busca realizações palpáveis por meio de atos agressivos e competitivos
A aceitação da responsabilidade pode ser dificultada por atitudes infantis e egocêntricas; ou a liberdade de ação pode ser dificultada pelo medo e pelo excesso de cautela
Agir independentemente é de particular importância e necessário para conseguir realizações satisfatórias

Diretrizes de interpretação para Saturno em Touro:

♄ Procura firmar-se e preservar-se pela produtividade constante, pelas posses e pela dependência dos próprios recursos materiais
♉ A integridade e a segurança pessoais baseiam-se em lealdade, estabilidade e confiabilidade, mas as realizações podem ser retardadas devido à preguiça
Sente necessidade de se concentrar em valores básicos (muitas vezes tradicionais) a fim de conseguir aprovação social
O impulso para consolidar e possuir pode levar ao bloqueio do fluxo de energia — uma teimosia extremamente conservadora e inflexível, com medo de perder o controle
É capaz de empenhar-se diligentemente para tornar mais profunda sua valorização das sensações físicas, da arte, da beleza ou da natureza

Diretrizes de interpretação para Saturno em Gêmeos:

♄ Procura firmar-se e preservar-se pela capacidade de percepção e domínio dos fatos
♊ A necessidade de confiar nos próprios recursos mentais leva a uma constante reestruturação dos processos de raciocínio
A aceitação de deveres e responsabilidades pode ser bloqueada pela ne-

cessidade de estímulos mentais diversificados; a capacidade de aprender e fazer experiências com a mente aberta pode ser dificultada por atitudes céticas e interesses desnecessariamente restritos
É preciso concentrar-se numa forma disciplinada de expressar as ideias coerentemente e de pensar objetivamente
Impulso para intelectualizar e defender verbalmente a própria estrutura e integridade

Diretrizes de interpretação para Saturno em Câncer:

♄ Procura firmar-se e preservar-se através de sentimentos de profunda proteção e da tentativa de entender suas raízes e as influências familiares
♋ Aceitar as próprias emoções e expressá-las com clareza é particularmente importante, embora muitas vezes seja bastante difícil
Há um esforço no sentido de superar o medo da própria sensibilidade e vulnerabilidade
Forte impulso de autoproteção para aumentar a segurança e a estabilidade
O excesso de repressão das emoções pode levar à rigidez e à insinceridade

Diretrizes de interpretação para Saturno em Leão:

♄ Procura firmar-se e preservar-se por meio da atividade criativa, da autoexpressão e do afeto leal e disciplinado
♌ Impulso para concentrar-se em realizações pessoais para se sentir seguro
Precisa ter confiança e acreditar na sua sintonia mais íntima e nos interesses mais profundos e autênticos
O medo e a falta de fé na sua importância e na sua bondade inerentes podem prejudicar a autoexpressão e a autoconfiança
O orgulho e impulso de reconhecimento pesam na aceitação dos deveres e responsabilidades; a forma criativa de lidar com as responsabilidades pode gerar uma profunda felicidade

Diretrizes de interpretação para Saturno em Virgem:

♄ Procura firmar-se e preservar-se pelas capacidades analíticas, pela forma conscienciosa de se desincumbir de suas responsabilidades e pela ajuda
♍ aos necessitados
A organização e a disciplina visam aprender a manejar os detalhes e aperfeiçoar as habilidades, o que gera profunda satisfação

A falta de fé na própria capacidade de lidar eficazmente com o mundo físico pode causar insegurança e temores excessivos
A necessidade de empenhar-se intensamente em trabalhar com eficiência resulta em realizações verdadeiras
A confiança na própria utilidade e capacidade técnica leva a atingir uma situação segura no mundo e ao desenvolvimento de uma autêntica humildade

Diretrizes de interpretação para Saturno em Libra:

♄ Procura firmar-se e preservar-se pela capacidade de se relacionar com os outros com equanimidade e responsabilidade
♎ Organiza conscientemente as programações, os relacionamentos e todas as estruturas com base nos princípios do equilíbrio e da harmonia
O medo de assumir compromissos em parcerias pode dificultar as realizações e impedir a sensação de uma intimidade satisfatória
Empenha-se disciplinadamente em conservar os relacionamentos; honra todos os compromissos, promessas e deveres, o que pode trazer profunda satisfação
O desejo de agradar os outros pode inibir a aceitação de deveres desagradáveis, porém o tato e a imparcialidade podem resultar na aprovação social

Diretrizes de interpretação para Saturno em Escorpião:

♄ Procura firmar-se e preservar-se pelo controle das poderosas paixões e de outras reservas de energia
♏ Forte impulso para defender a própria estrutura emocional, o que pode até levar a solapar as próprias metas ou a bloquear a intimidade com os outros
A necessidade obsessiva de contar com os próprios recursos pode interferir com a concretização de realizações mais amplas
O medo de expressar, ou mesmo de admitir as emoções mais profundas, pode levar à rigidez, à paralisação do fluxo de sentimentos, e à falta de satisfação profunda com a vida
Empenha-se disciplinadamente em efetuar transformações totais, eliminar tudo que é desnecessário e, muitas vezes, executar um significativo trabalho de reforma

Diretrizes de interpretação para Saturno em Sagitário:

♄ Procura firmar-se e preservar-se através de fortes convicções e aspirações por metas distantes
♐ É capaz de exagerar na aceitação de deveres e responsabilidades, muitas

vezes encarregando-se de mais do que pode dar conta; forte necessidade de disciplina mental

Organiza "na correria", adaptando constantemente programações e estruturas à situação; é particularmente importante abordar sistematicamente as realizações futuras

Empenha-se na investigação filosófica e na formulação clara dos próprios ideais, o que pode gerar uma sensação de segurança e satisfação

Tem forte necessidade de conseguir aprovação social para suas crenças; a livre busca da verdade pode ser impedida por atitudes excessivamente tradicionais ou por outros temores

Diretrizes de interpretação para Saturno em Capricórnio:

♄ ♑ Procura firmar-se e preservar-se concretizando suas ambições, conquistando a autoridade e a situação social que deseja

Empenha-se vigorosa e disciplinadamente em planejar o cumprimento de suas responsabilidades

A capacidade de organização, excessivamente desenvolvida, pode levar a tentativas de controlar muito rigidamente todas as situações

Impulso para defender a estrutura e a integridade do eu pela determinação, pelo trabalho dedicado, pelo conservadorismo e pelo comportamento cauteloso; o medo excessivo da desaprovação pode tolher a plena consecução de seus objetivos

Necessidade profundamente arraigada de ser uma pessoa confiável e de depender de seus próprios recursos

Diretrizes de interpretação para Saturno em Aquário:

♄ ♒ Procura firmar-se e preservar-se através da capacidade mental disciplinada, do conhecimento claramente definido e do compromisso com metas sociais ou voltadas para o futuro

Tem capacidade bem desenvolvida de organizar grupos de pessoas e/ou conceitos

Empenha-se em manter um círculo de amigos importantes, e muitas vezes dirige a energia desse grupo para realizações específicas

O impulso da excentricidade e do radicalismo pode colocar em risco a possibilidade de realizações palpáveis; a autoexpressão livre e independente pode ser tolhida pela rigidez mental ou pela insegurança social

Precisa da interação social a fim de estabilizar seu propósito de vida e para superar o medo da desaprovação

Diretrizes de interpretação para Saturno em Peixes:

♄ ♓ Procura firmar-se e preservar-se transcendendo as limitações da personalidade e unindo-se a um ser, grupo ou ideal maior

A ânsia de esquivar-se da realidade pode retardar ou interferir com a aceitação de deveres e responsabilidades; ou o excesso de temor ou o conservadorismo pode frustrar a concretização das visões transcendentes

A compaixão curadora e a empatia se expressam pelo esforço disciplinado, e a rigidez se dissolve através desse esforço dadivoso

Necessidade de expressar a própria sensibilidade e as próprias emoções e de disciplinar a atitude evasiva para se sentir estável

Precisa confiar nos próprios recursos espirituais, tornando exequíveis sua visão superior e seus anseios

Urano, Netuno e Plutão nos signos

Embora as posições de Urano, Netuno e Plutão por signo sejam significativas como indicadores de qualidades de gerações (explicando muitas diferenças na psicologia de massas de uma era para outra), em si mesmas elas são relativamente sem importância para as pessoas. Esses planetas não representam *qualidades nitidamente individualizadas*, já que permanecem num mesmo signo durante muitos anos. As posições desses planetas por casa e seus aspectos são invariavelmente mais significativos para as pessoas do que suas posições por signo. Os aspectos dos planetas pessoais com Urano, Netuno e Plutão revelam, às vezes, qual a sintonia da pessoa com as forças de mudança de sua geração — embora os três planetas exteriores pareçam ser, de fato, "notas mudas" na vida de algumas pessoas e, na vida de outras, as profundas mudanças que eles representam possam ocorrer unicamente no nível interno, pessoal. É preciso relacionar os interesses e as atividades da pessoa com o mapa a fim de ver como estão sendo expressos os planetas exteriores.

Em outras palavras, as qualidades e energias do signo, indicadas pelas posições dos planetas exteriores, em geral não são muito evidentes nas pessoas (a menos que tenham uma ligação íntima e forte com outros fatores importantes do mapa). Por exemplo: Urano, Netuno e Plutão podem amplificar consideravelmente as energias de um signo se estiverem em conjunção com um dos outros sete planetas naquele signo. (Ex.: Plutão conjunto a Vênus em Leão amplifica a energia de Leão na pessoa.) Os planetas exteriores também podem dar ênfase adicional a um determinado *elemento*, se estiverem em aspecto de trígono com dois planetas nos dois outros signos daquele elemento (ou seja, se fizerem parte da configuração "grande trígono", como Urano em Gêmeos trígono Sol em Aquário e a Lua em Libra — por conseguinte, Urano amplifica a energia do elemento Ar).

Outro caso ilustrativo da amplificação das energias do signo onde está localizado um planeta exterior ocorre sempre que o signo em elevação contém Urano, Netuno ou Plutão. Mesmo que o planeta exterior esteja no lado da décima segunda casa do ascendente, pode-se afirmar com segurança que as qualidades do signo em elevação são significativamente aumentadas. Por exemplo, Plutão em Leão com Leão em elevação: as qualidades de Leão serão reforçadas, embora muito provavelmente até certo ponto contidas devido à característica sigilosa e autocontroladora de Plutão.

6

O ascendente — ou signo em elevação — e o meio do céu

Conceitos-chave do ascendente

O ascendente (ou "signo em elevação"*) é quase impossível de sumariar. Ele é muitas coisas ao mesmo tempo: um símbolo da forma como a pessoa *atua* no mundo, a "máscara" ou "imagem da personalidade" que os outros veem, e a energia e atitude espontânea em relação à vida, que permeiam todo o ser. Embora seja bastante evidente em algumas pessoas, o ascendente também pode ser, como escreveu Dane Rudhyar, "o fator mais enganoso e difícil de conhecer do mapa natal". Em algumas pessoas, ele parece ser basicamente uma qualidade superficial, como Jeff Mayo expõe neste trecho:

> Ele pode ser a aparência que o homem assume ao projetar-se em seus negócios e atividades sociais, escondendo muito do seu verdadeiro caráter, que só as pessoas íntimas — e muitas vezes nem elas — sabem que existe.

---

* Embora os termos "ascendente" e "signo em elevação" sejam em geral usados alternadamente com a mesma acepção, existe uma diferença entre eles. O ascendente (muitas vezes abreviado ASC) tecnicamente é o grau exato do signo em elevação no horizonte oriental de um mapa natal, e por conseguinte é um termo mais preciso. O signo em elevação é simplesmente o signo que estava "se elevando" no horizonte oriental no momento do nascimento.

Contudo, essa "imagem da personalidade" vista pelos outros não é projetada intencionalmente: é automática. Além do mais, tampouco é superficial no sentido sugerido por muitas obras de astrologia. O ascendente indica sempre alguma coisa essencial sobre a pessoa, que é ao mesmo tempo profundamente interna e também externa. É virtualmente impossível alguém atuar no mundo ou expressar-se sem a intermediação do ascendente. Sob muitos aspectos, ele é a porta através da qual confrontamos de forma mais direta o mundo exterior. O ascendente simboliza a nossa *abordagem* individual à própria vida. Representa a forma como a pessoa se incorpora ativamente à vida do mundo exterior, quando sua energia está fluindo espontaneamente.

O ascendente revela a maneira como nos sentimos exclusivamente nós mesmos. Indica sempre alguma coisa essencial sobre a personalidade da pessoa e sua abordagem à vida, porém pode parecer mais dominador e autêntico quando o restante do mapa lhe dá respaldo e se harmoniza com ele. Quando o restante do mapa não está particularmente sintonizado com as qualidades e a energia do ascendente, é possível que o ASC pareça mais superficial, uma máscara relativamente artificial talvez bastante em desacordo com o restante da natureza da pessoa.

O elemento do ascendente

O elemento do ascendente revela a qualidade do fluxo de energia que vitaliza diretamente o corpo físico e a abordagem geral à vida.*
Signos de Fogo ou de Ar em elevação tendem a conduzir a energia, incentivando a *autoexpressão* ativa e o dispêndio dinâmico de energia.

* Ver também págs. 173 e seguintes de *New insights in modern astrology; The Jupiter/Saturn conference lectures*, do autor, também publicado pela Editora Pensamento.

Signos de Terra ou de Água em elevação tendem a conservar e a resistir ao fluxo de energias vitais, indicando por conseguinte autocontenção (às vezes autorepressão) e tendência a viver dentro de si mesmo.

Signos de Fogo em elevação (Áries, Leão e Sagitário):
Muita vitalidade, energia física, emitem energia para o exterior. Caracterizam-se pela maneira positiva e otimista de encarar a vida e pela conduta confiante, rudemente franca.
Ativos, querem deixar sua marca na vida e ver os resultados de seus esforços manifestados no mundo. A orientação para a ação pode levar a excessos inúteis e menor percepção de necessidades mais sutis, suas e dos outros.

Signos de Ar em elevação (Gêmeos, Libra e Aquário):
Mentalmente ágeis e ativos; inquisitivos, sociáveis, amáveis, comunicativos. Muitas vezes inteligentes, rápidos nas percepções. Podem ser excessivamente intelectualizados, a ponto de promover debates internos crônicos sobre todas as coisas, sem passar à ação. Querem entender tudo; vivem muito no mundo dos conceitos. Têm facilidade inerente para comunicar-se e perceber o ponto de vista dos outros.

Signos de Terra em elevação (Touro, Virgem e Capricórnio):
Perspectiva realista. O destaque dado ao mundo material e as atitudes conservadoras podem inibir a imaginação, o que, por sua vez, pode limitar as opções da pessoa e/ou refrear a autoexpressão espontânea. A constância e a confiabilidade frequentemente estão bem desenvolvidas e são altamente valorizadas pela pessoa e pelos outros. A praticidade e a paciência inata dão maior tolerância à rotina do que acontece com outros ascendentes. A abordagem sistemática, em geral de acordo com os canais convencionais, é o método mais comum de autoexpressão.

Signos de Água em elevação (Câncer, Escorpião e Peixes):
São os que mais facilmente se deixam influenciar pelo ambiente e pelos outros. Sensíveis e mal-humorados, são precavidos devido a uma forte sensação de vulnerabilidade e probabilidade de ficarem magoados. Protegem a si mesmos, e também às pessoas que lhes são caras. São solidários, sentem as emoções dos outros imediata e vigorosamente. Muito reservados, vivem profundamente no seu íntimo.

O regente do ascendente

O planeta associado ao signo em elevação é tão importante que é tradicionalmente conhecido como "regente do mapa"* ou "planeta regente" do mapa natal. Conforme sua posição por signo e casa, ele matiza invariavelmente toda a maneira de a pessoa encarar a vida. Quando você entra em sintonia e acordo com a área de experiência e o tipo de energia representados pelo planeta regente, sua casa e seu signo, você começa a sentir-se mais vivo, mais motivado para se expressar, mais seguro internamente e mais autêntico.

Posição do planeta regente por signo:
Revela uma sintonização de energia e qualidades específicas de acentuada importância e, em muitos casos, até mesmo predominantes. Este signo mostra a energia básica motivadora dos atos e da autoexpressão da pessoa.

Posição do planeta regente por casa:
Mostra uma área de experiência onde se manifesta grande parte da energia vital e do esforço da pessoa, e onde esta se deparará com atividades e questões da vida profundamente importantes. É preciso ser ativo nessa

* Se o seu ascendente é daqueles que têm um regente antigo e um moderno, caso de Escorpião, Peixes e Aquário, examine a posição *por casa* dos dois, porque ambos terão pelo menos alguma ênfase na vida. Entretanto, examine particularmente a *posição por signo do regente antigo*, porque esse signo será sempre muito mais forte do que o signo regente moderno, desde que não haja outras ênfases presentes. Por exemplo, se você tem Escorpião em elevação, o signo do seu Marte em geral é muito mais importante na sua constituição pessoal do que o signo do seu Plutão, a menos que haja outro fator importante no signo de Plutão. Por exemplo, nem todas as pessoas da geração de Plutão em Leão com Escorpião em elevação têm uma natureza ou uma personalidade particularmente leoninas. Porém, em todos os casos em que o Escorpião está em elevação, o signo de Marte é particularmente forte; essa energia flui positivamente através da pessoa em todos os exemplos; em todas elas, essa energia é projetada com ênfase especial.

área da vida a fim de expressar e estimular muitas energias e capacidades essenciais.

Na verdade, o ASC e seu planeta regente precisam sempre ser considerados em conjunto, como uma só unidade de interpretação. Por exemplo, Gêmeos em elevação com o planeta regente Mercúrio em Peixes em geral é mais imaginativo, psiquicamente sensível e mais desligadamente confuso do que Gêmeos em elevação com Mercúrio em Touro, onde a mente opera com maior lentidão e praticidade. (Chamo a isso um Gêmeos em elevação com um "subtom" de Peixes, e Gêmeos em elevação com um "subtom" de Touro.) Provavelmente, um Câncer em elevação com o planeta regente Lua em Libra será mais neutro e diplomático do que um Câncer em elevação com a Lua em Áries, que é tão impulsivo e tantas vezes sem tato. (Chamaria a isso um Câncer em elevação com um "subtom" de Libra e um Câncer em elevação com um "subtom" de Áries.)

Aspectos com o ascendente*

O tom do ascendente é modificado não só pela posição de seu planeta regente, mas também por *qualquer* ângulo (ou "aspecto") reduzido múltiplo de 30° com o ascendente, formado com qualquer planeta.** O planeta que aspecta o ascendente tem sempre um impacto dinâmico, e afeta sempre a imagem projetada da personalidade, além de todo o modo de autoexpressão. Qualquer planeta nessas condições matiza fortemente o campo da energia da pessoa e sua atitude em relação à própria vida.

* Observação: o horário de nascimento precisa ser confiável para usar esses aspectos.
** Considero "maiores" todos os aspectos múltiplos de 30°: 30°, 60°, 90°, 120°, 150°, 180°. Ver o capítulo 8 para mais detalhes sobre o significado específico de cada aspecto.

a) As conjunções com o ascendente, até 6°, são os mais fortes desses aspectos, e as qualidades mais imediatamente observáveis na personalidade da pessoa.

b) As conjunções com o descendente, até 6° (isto é, oposições ao ascendente) vêm em segundo lugar na escala de força desses aspectos. Como o ASC mostra a imagem mais imediata projetada pela pessoa, enquanto o DES e os planetas próximos a ele mostram qualidades que vêm à tona principalmente nos relacionamentos e podem ser contrárias à imagem da pessoa, esses aspectos às vezes podem indicar uma divisão interna; a pessoa manifesta alternadamente dois modos diferentes de ser, aparentemente completamente opostos, simbolizados pelo ASC e pelo planeta oposto a ele. Em outros casos, parece que aquele planeta simplesmente dá um forte matiz à personalidade, particularmente visível nos relacionamentos pessoais, sem que se notem quaisquer problemas significativos de oposição ou contradição.

c) As quadraturas com o ascendente figuram frequentemente entre os mais frustrantes ou desafiantes aspectos com o ASC. Elas simbolizam, às vezes, pressões originárias do ambiente da primeira infância, manifestando-se como uma espécie de opressão ou inibição (principalmente quando o planeta envolvido está na 4ª casa), ou como uma pressão para conseguir realizações ou reconhecimento (principalmente quando o planeta envolvido está na 10ª casa). Entretanto, como acontece com todos os aspectos desafiadores, essas quadraturas também podem mostrar onde pode ocorrer o maior esforço de crescimento pessoal

d) Qualquer planeta em aspecto reduzido com o ascendente acrescenta sua qualidade à consciência da pessoa desde a primeira infância.* Você a tem dentro de si e pode dispor dela automaticamente, *embora talvez precise aprender a identificá-la ou integrá-la.* Em outras palavras, você pode desenvolver mais ainda essa qualidade, consciente-

---

*Ver, no capítulo 8 deste livro, diretrizes de interpretação para cada aspecto de planetas específicos com o ascendente.

mente, à medida que o tempo passa. Ela pode representar uma importante fonte de energia, desde que você aprenda a conectá-la.

e) Mesmo quando o Sol e a Lua não fazem nenhum aspecto reduzido com o ascendente, e mesmo que haja uma ligeira dúvida sobre a hora de nascimento, ainda assim é muito importante entender como se combinam, dentro da pessoa, os *elementos* desses três fatores preponderantes. Isso esclarecerá como as energias essenciais da vida fluem em conjunto, e até que ponto o ascendente estimula ou restringe a expressão das energias do Sol e da Lua.

Diretrizes para interpretar o ascendente

Embora o ascendente tenha importância profunda e abrangente para todas as pessoas, não há como negar que é preciso relacioná-lo com o restante do mapa,* e principalmente com o signo do Sol, a fim de entendê-lo plenamente em cada caso particular. O Sol, afinal, é o núcleo da identidade, o próprio centro da consciência, a maneira como assimilamos grande parte de nossas experiências, enquanto o ascendente — embora sua importância varie de pessoa para pessoa — não ocupa um lugar tão central na natureza de cada um. Ele mostra, entre outras coisas, qual a abordagem à vida; entretanto, o Sol mostra a própria vida! O ascendente precisa servir aos propósitos, valores e metas criativas do Sol para que a pessoa possa ter uma atuação feliz e plena.

O ascendente modifica a expressão da energia solar. Poder-se-ia escrever um livro inteiro sobre a interação de todas as combinações entre o Sol e o ascendente, mas vamos dar apenas um exemplo:

---

* Ver também, no capítulo 10 de *Astrologia, karma e transformação*, mais dados para entender o ascendente e sua relação com o restante do mapa. Esse mesmo capítulo traz também material significativo sobre o meio do céu.

Gêmeos em elevação sempre confere, a *qualquer* signo do Sol, uma abordagem à vida mais ativa socialmente e mais curiosa intelectualmente. Ele é capaz até de agilizar o lento Sol em Touro, tornar o Sol em Escorpião mais sociável e menos sigiloso, ajudar o Sol em Capricórnio a ser menos defensivo e mais comunicativo, e encorajar o Sol em Câncer a ser menos tímido! Entretanto, em todos os casos, por mais semelhantes que essas pessoas com Gêmeos em elevação possam parecer em termos de abordagem e personalidade observável, a natureza central mostrada pelo Sol continua sendo definida pela posição do Sol por signo.

Outro expediente útil para entender como interagem os signos de Sol e do ascendente de uma pessoa é comparar os elementos desses dois fatores. Por exemplo: uma pessoa cujo signo solar é Câncer e cujo signo em elevação é de Fogo geralmente é muito mais extrovertida e se expressa com mais vigor e confiança do que uma pessoa com o Sol em Câncer e, digamos, um signo de Terra em elevação — mais conservador, autoprotetor. Outro exemplo: uma pessoa com o Sol em signo de Ar e o ascendente em signo de Água pode parecer muito mais emotiva do que na verdade é, enquanto uma pessoa com o Sol em signo de Água e o ascendente em signo de Ar pode parecer muito mais desapegada e menos emocional do que é.

A presença do Sol num signo sempre traz à tona uma manifestação fortemente energizada desse signo; embora os aspectos com o Sol deem um tom de mudança à expressão solar, quase nunca a energia do signo do Sol é alterada tão completamente como pode acontecer com o signo em elevação. O signo em elevação muitas vezes não contém nenhum planeta, e mesmo quando efetivamente contém um ou dois planetas, não pode rivalizar em poder com o signo que contém o próprio Sol (a menos, é claro, que o signo do Sol esteja em elevação!). As qualidades do ascendente, portanto, são, na maioria dos casos, modificadas com muito mais facilidade do que as qualidades e as energias do signo do Sol. Aspectos reduzidos com o ascendente modificam acentuadamente sua expressão, e a posição por signo e os aspectos do planeta regente do ascendente têm profundo impacto sobre a expressão das energias do signo em elevação.

A resultante complexidade do fator ascendente explica muitas coisas. Explica por que algumas pessoas não se identificam muito com o seu signo em elevação. Explica por que quem começa a estudar a astrologia frequentemente tem dificuldade para captar o conceito e a interpretação do ascendente. Explica por que muitas características e tendências fundamentais de uma determinada pessoa não são evidentes à primeira vista no simbolismo dos signos do Sol e do ascendente, e daí a razão de muitas pessoas simplesmente não verem muita serventia imediata nos "rótulos" astrológicos básicos.

Deve-se salientar, também, que é frequente as pessoas serem relativamente inconscientes da natureza do seu ascendente em comparação com seu signo solar. Nesse sentido, o ascendente é um fator que pode ser conscientemente desenvolvido com o tempo e conscientemente utilizado para ajudar a própria autoexpressão. Conheço pessoas que sentiram alívio ao descobrir qual era o seu signo em elevação, o que, finalmente, deu-lhes um meio de identificar uma tendência muito profunda, embora apenas semiconsciente. Em alguns casos, as qualidades e capacidades simbolizadas pelo ascendente apenas começavam a vir à tona; o conhecimento das chaves astrológicas para entender esse fator ajudaram em muito o desenvolvimento pessoal. (Quero salientar que, talvez mais do que aconteça com a maioria dos outros fatores do mapa, o ambiente da primeira infância pode incentivar ou reprimir a expressão do ascendente, já que ele é um canal primordial de interação com o mundo exterior.)

Tendo em mente que o ascendente é modificado com bastante facilidade pela posição do planeta regente e pelos aspectos com o ascendente (bem como pelos planetas de 1ª casa), podemos fazer algumas observações gerais sobre os 12 ascendentes. O leitor também deve usar as diretrizes de interpretação para "O Sol nos signos" no capítulo 5 para analisar mais a fundo a natureza essencial de cada ascendente. Recomendo o uso dessa seção principalmente para os novos estudantes, pois ela ajudará a interpretar os vários signos em elevação. Creio que essas diretrizes para o Sol funcionam bastante bem quando aplicadas ao ascendente; portanto, em vez de repetir aquelas frases-chave nos próximos parágrafos, tentarei enfocar o significado de cada ascendente sob outro ângulo.

Nas observações a seguir, usei frequentemente a abreviatura em geral adotada para o ascendente, ASC, para ganhar tempo. Também intercalei no texto a seguir vários contrastes significativos entre o signo do Sol e o mesmo signo no ascendente, que observei durante os últimos vinte anos. Reconheço que essas observações são subjetivas e podem não se aplicar a todos os casos de que o leitor possa ter conhecimento. Entretanto, acho que incentivar reflexão, e talvez até mesmo a controvérsia, é um método de aprendizado muito mais proveitoso do que a simples enumeração de intermináveis adjetivos para cada ascendente. O leitor deve encarar as avaliações comparativas que se seguem como diretrizes, como assuntos a investigar, e não como enunciados rígidos da verdade absoluta.

Ascendente Áries:
Abruptas, ambiciosas, agitadas, impacientes, sempre com pressa de correr pela vida, essas pessoas podem ser bastante irritantes. Se Marte estiver em Peixes, em Câncer ou em um dos signos de Terra, essas qualidades impositivas podem ficar um pouco acentuadas. A rude franqueza do Sol em Áries, capaz de parecer tão ofensiva, insensível e desatenciosa com os outros, muitas vezes é bem menos marcante em muitas pessoas com ASC Áries. Contudo, o espírito empreendedor de Áries continua presente, às vezes até com mais dinamismo do que em muitas pessoas que têm o Sol em Áries.

Ascendente Touro:
Movimentos metódicos, controlados, medidos, que muitas vezes dão a impressão de que a pessoa está fazendo pose; aversão profunda a ser apressada, forte tendência estética e motivação pelo prazer. Pode ser pre-

guiçoso ou constantemente produtivo, mas de qualquer forma insiste em fazer tudo à sua moda e no seu ritmo. A posição de Vênus por signo tem grande influência sobre a ambição ou o dinamismo da pessoa. A indolência, aparentemente, é mais característica do Sol do que do ASC Touro (provavelmente porque o Sol é a energia vital essencial); o Sol em Touro também parece ser mais previsivelmente possessivo. Ambos querem *aproveitar* tudo que fazem, e portanto recusam-se a fazer o que quer que seja às pressas, temendo que isso possa interferir com o prazer que extraem do aqui e agora. Sua abordagem à vida é extremamente física e sensual; têm forte necessidade de ligação com os outros, afeto e segurança.

Ascendente Gêmeos:

O mais inquisitivo e amigável dos signos em elevação, mas também o mais propenso a se preocupar consigo mesmo o tempo todo (com a possível exceção de alguns casos de Libra em elevação). Geralmente muito inteligente e curioso, sente enorme necessidade de se comunicar verbalmente. A superficialidade observada com tanta frequência no Sol em Gêmeos não é tão evidente no ascendente Gêmeos, porém a tendência a um dos lados da mente não saber o que pensa ou diz o outro lado muitas vezes é até mesmo mais exagerada no ASC Gêmeos — o que pode ser muitíssimo irritante para quem gostaria de confiar na pessoa e acreditar no que ela diz. A pessoa não é intencionalmente falsa; acontece simplesmente que a mão direita não sabe o que a esquerda está fazendo! (Devo declarar, entretanto, que conheci pelo menos duas pessoas com Gêmeos em elevação que eram muito confiáveis!)

Ascendente Câncer:

Conduta simpática e suave; entretanto, muitas vezes é tão sensível e solidário com os outros quanto consigo mesmo, pois é frequente uma *exagerada suscetibilidade* com as ofensas e desfeitas. Nesse sentido, Câncer em elevação parece mostrar um tipo de empatia com os outros mais superficial do que o Sol em Câncer, cujos sentimentos tendem a ir mais fundo, que se comove mais integralmente. O ASC Câncer muitas vezes parece ser mais discreto e reservado do que quem tem o Sol em Câncer, que, graças à sua grande capacidade de representar, frequentemente consegue parecer bastante sociável e expansivo. A pessoa com Câncer em elevação geralmente é muito introvertida, mas já vi casos com a Lua em Leão, ou outro signo igualmente extrovertido, nas quais predominavam as tendências de maior exteriorização.

Ascendente Leão:
O ascendente Leão frequentemente parece motivar a pessoa a se empenhar para mostrar seu melhor lado. Isso não quer dizer que o orgulho (e até a arrogância) do signo de Leão esteja completamente ausente em quem tem Leão em elevação; entretanto, parece que estes realmente têm menos necessidade de "ser senhor absoluto" dos outros, como as pessoas com o Sol em Leão. Parece que o ASC Leão estimula uma expressão particularmente autêntica da energia do Sol da pessoa, enquanto o Sol em Leão muitas vezes exibe uma dramatização mais estudada de seus sentimentos mais profundos. A magnanimidade, traço frequentemente atribuído a Leão, parece ser uma qualidade com que se pode contar mais nas pessoas com ASC Leão do que com o Sol em Leão, que tantas vezes manipulam os outros friamente em proveito próprio. O ASC Leão, contudo, pode ter um porte extremamente altivo, devido à descomedida necessidade de ser respeitado e ostentar majestade; muitas vezes falta-lhe o humor espontâneo e a jocosidade do Sol em Leão.

Ascendente Virgem:
A pessoa com ASC Virgem muitas vezes tem um grau maior de autoconfiança do que quem tem o Sol em Virgem e, por estranho que pareça, sua humildade frequentemente parece ser mais verdadeira, pelo menos sob um aspecto: as pessoas com ASC Virgem sempre reconhecem que precisam aprender mais e ir mais longe para se aperfeiçoarem. A autocrítica que tantas vezes derruba e deprime as pessoas com o Sol em Virgem é encontrada ocasionalmente, mas não com tanta frequência, no ASC Virgem. É como se as pessoas com ASC Virgem "pusessem para fora" mais vezes as suas dúvidas, em vez de simplesmente se enredarem nelas. As qualidades conservadoras e convencionais, fartamente presentes no Sol em Virgem, não são nem de longe tão arraigadas na pessoa com Virgem em elevação, que pode parecer altiva, séria ou retraída, mas cuja aparência pode ocultar uma natureza muito mais impetuosa. A pessoa com o Sol em Virgem geralmente é melhor na análise detalhada do que a de ASC Virgem, embora nos dois casos, muitas vezes, esteja presente a aptidão para o artesanato.

Ascendente Libra:
Embora o ASC Libra tenda muitas vezes para um autocentrismo um tanto narcisista, mais do que acontece com o Sol em Libra, deve-se declarar também que a pessoa com ASC Libra às vezes é sinceramente mais cordial e cativante do que quem tem o Sol em Libra, que muitas vezes se relaciona com os outros de forma mais neutra, consciente de que a vida não é só gentileza e alegria. O ASC Libra dá um tom pessoal à forma de expressão de todas as outras energias do mapa. Embora os relacionamentos próximos sejam de importância fundamental para quem tem o Sol em Libra, a necessidade do "outro" às vezes é ainda mais vital para a pessoa com ASC Libra, cuja vida muitas vezes parece centrada em seu relacionamento principal (ou na sua falta). Quando está sem um par, a pessoa com ASC Libra às vezes perde completamente o senso de direção e pode demonstrar acentuada falta de iniciativa e de energia física. Para entender mais plenamente as particularidades das necessidades de relacionamento, avalia-se Vênus no mapa. A pessoa com ASC Libra muitas vezes pelo menos *parece* ser mais superficial do que quem tem o Sol em Libra, que em geral é muito mais profundo do que deixa transparecer. Além disso, o ASC Libra parece conservar por mais tempo uma visão romântica da vida do que o Sol em Libra, tantas vezes cético.

Ascendente Escorpião:
Sempre conhecidas pela intensidade, as pessoas com Escorpião em elevação muitas vezes se envolvem com as artes da cura, a investigação das motivações dos outros (por exemplo, por meio da psicoterapia) ou a investigação do desconhecido ou esotérico. Embora frequentemente se descreva Escorpião como corajoso, o que em geral não se menciona é a grande medida em que o medo é o motor de seu modo de agir. Para Escorpião, a melhor defesa é o bom ataque. As pessoas com Escorpião em elevação estão constantemente na defensiva, num grau que não se vê usualmente no Sol em Escorpião. Escorpião é um signo de extremismo emocional, sendo assim fácil encontrar uma forte expressão negativa do ASC Escorpião para cada expressão positiva. O ASC Escorpião, na verdade, conquistou, ao longo dos anos, uma reputação um tanto negativa, não totalmente desmerecida. Nenhum outro signo em elevação pode rivalizar com ele em matéria de comportamento vingativo, impiedoso e invejoso. Muitas vezes, a vingança é um poderoso fator motivador de sua conduta, como é, às vezes, a obsessão paranoica com a autopreser-

vação. Este fenômeno assume frequentemente a forma de relutância em abrir mão de qualquer coisa — dinheiro ou emoções; essas pessoas sentem muito medo de abrir a mão e perder o controle. Quem tem ASC Escorpião é capaz de perceber os sentimentos e motivações mais profundas dos outros, quando não está projetando neles suas próprias motivações. Podem ser pessoas extremamente engenhosas, demonstrando, muitas vezes, intensa dedicação a um problema difícil ou a uma missão de vida. Os traços negativos mencionados acima às vezes são muito atenuados em quem tem o Sol em Escorpião, capaz de ser muito leal com as pessoas que admite no seu "círculo íntimo" de amigos. Além disso, a tendência a minar a si próprio parece ser muito menos comum no Sol em Escorpião do que no ASC Escorpião. Ao considerar o planeta regente do ASC, o signo de Marte é sempre mais importante que o signo de Plutão; um Marte bem orientado pode ajudar a canalizar e a transformar a energia, tantas vezes autodestrutiva, de Escorpião.

Ascendente Sagitário:
O otimismo, a exuberância, o entusiasmo e a abertura mental presentes muitas vezes, mas não sempre, nas pessoas com o Sol em Sagitário são quase invariavelmente expressas pelo ASC Sagitário. Virtualmente todas as pessoas que conheci com ASC Sagitário poderiam ser descritas como permanentemente "para cima", mesmo enfrentando constantes decepções ou obstáculos. Embora tanto o ASC quanto o Sol em Sagitário tenham propensão a impor aos outros suas crenças pessoais como se fossem uma verdade universal, em geral a expressão dessa tendência pelo ASC é mais liberal e inspiradora, enquanto a pregação de uma pessoa com o Sol em Sagitário muitas vezes é sentida pelo ouvinte coma se sua cabeça estivesse sendo golpeada com "a verdade". Em outras palavras, o farisaísmo parece ser consideravelmente mais flagrante nas pessoas com o Sol em Sagitário. Além disso, as pessoas com ASC Sagitário quase nunca demonstram o descontentamento sem rumo nem objetivo tão frequente nas pessoas com o Sol em Sagitário. Sagitário em elevação parece tender mais para a ação definida, em conformidade com um ideal, enquanto o Sol em Sagitário às vezes limita-se unicamente à atividade mental ou teórica.

Ascendente Capricórnio:
Capricórnio em elevação expressa-se muitas vezes com extrema negatividade e ceticismo, mais frequentemente do que o Sol em Capricórnio.

Entretanto, é preciso entender que nos dois casos essa aparência de cinismo e desprezo pelo novo é muitas vezes uma capa protetora de uma natureza mais inquisitiva, vulnerável, e mesmo aberta à espiritualidade. Capricórnio simplesmente não gosta de perder tempo com ideias não provadas, mas a prova lógica e prática, até de realidades não ortodoxas, muitas vezes é o bastante para interessá-lo e eliminar seu ceticismo automático. Embora tanto o Sol como o ASC Capricórnio sejam extremamente preocupados com a forma exterior, as aparências e a reputação, parece que o ASC Capricórnio tem muito mais medo da opinião pública, e frequentemente se desdobra para parecer normal, conservador e "seguro". O Sol em Capricórnio parece ter um desejo maior de realização e autoridade, e uma maneira mais resoluta de buscar o sucesso material O ASC Capricórnio às vezes parece se satisfazer apenas com a segurança. Ambos são tão impessoais que os relacionamentos com os outros frequentemente são problemáticos, embora o Sol em Capricórnio, mais vezes que o ASC, tenha dificuldade em relacionar-se de pessoa para pessoa num nível equitativo.

Ascendente Aquário:
Um traço de inconvencionalismo e rebeldia impregna a personalidade tanto das pessoas com o ASC como com o Sol em Aquário, mas esse traço é muito mais pronunciado em quem tem o Sol em Aquário. São, em geral, amantes vitalícios do novo, do imaginativo e do revolucionário, mesmo que, muitas vezes, não o digam abertamente. As pessoas com Aquário em elevação muitas vezes parecem um pouquinho excêntricas; na verdade, o que elas sentem muitas vezes é rebeldia, mas em geral são mais ligadas às convenções do que a maioria das pessoas com o Sol em Aquário. Os dois tipos costumam ter a capacidade de perceber e entender imediatamente, uma agilidade mental e rapidez de aprendizado capaz de desconcertar seus amigos mais lentos. Ambos demonstram um frio distanciamento que frustra e muitas vezes choca as pessoas emocionalmente mais sensíveis; o Sol em Aquário parece ser mais distante e impessoal do que o ASC Aquário. A regência tradicional de Saturno parece ser mais forte que a do regente moderno, Urano, em muitas pessoas com Aquário em elevação. Entretanto, a posição por casa e por signo de Saturno sempre é importante para todas as pessoas com ASC Aquário.

Ascendente Peixes:
>Como o Sol está fraco em Peixes, permitindo dessa forma que as pessoas com o Sol em Peixes se deixem influenciar fortemente por todos os outros fatores de seus mapas, parece haver mais tipos de pessoas com o Sol em Peixes do que com Peixes em elevação. As pessoas com ASC Peixes são quase uniformemente sensíveis, compassivas, emocionais, imaginativas e solícitas. Parece haver no ASC Peixes uma força de caráter que às vezes falta ao Sol em Peixes, tantas vezes passivo, evasivo, escapista e irresponsável. Provavelmente, deve-se ao antigo regente de Peixes, Júpiter, a força de caráter e a vivacidade particularmente evidentes em tantas pessoas com ASC Peixes; às vezes essa influência é muito mais notória que a do regente moderno, Netuno. Na verdade, é preciso examinar sempre o signo e a casa de Júpiter das pessoas com ASC Peixes, que darão informes fundamentais sobre a sua natureza. Além de ser capaz de sentir empatia por pessoas em dificuldades e de ajudá-las, quem tem Peixes em elevação muitas vezes também se mostra filosófico e surpreendentemente impassível diante de seus próprios infortúnios. Como as pessoas de ASC Virgem (seu signo oposto), as de ASC Peixes não sentem necessidade de receber crédito ou reconhecimento público por tudo o que fazem pelos outros.

O meio do céu

Envelhecer e amadurecer significa, muitas vezes, atingir e concretizar as metas e os sonhos concebidos na juventude. O signo do meio do céu, o posicionamento de seu regente e os planetas na 10ª casa simbolizam esse processo. Embora o signo do meio do céu nem sempre seja ostensivamente evidente, ele é sempre uma parte importante do mapa natal, já que descreve a manifestação e o desenvolvimento da vocação e da posição social. Quase todos os textos astrológicos descrevem o meio do céu (ou MC, como é frequentemente abreviado) como o fator que representa a "carreira" ou o "lugar no mundo" de uma pessoa. Ele é isso, e é mais alguma coisa. Quando jovem, a pessoa em geral não se identifica com o tipo de energia representada pelo signo no MC, a menos que também haja um ou mais planetas pessoais localizados naquele signo. O meio do céu simboliza qualidades que buscamos espontaneamente à medida que ficamos mais velhos, qualidades que conquistamos com esforço. Ele representa progresso, autoridade, a sua contribuição potencial à sociedade, e a sua vocação ou "chamado". O caminho para realizar-se é aprender a expressar a energia representada pelo signo do MC.

O planeta regente do meio do céu

O planeta regente do signo do meio do céu é importante não apenas devido a seu significado simbólico geral, mas também porque *sua posição por casa mostra, com muita frequência, onde a sua verdadeira vocação adquire contornos mais nítidos*. Essa casa representa um campo de experiência que, num nível muito profundo, tem ressonância com a sua verdadeira vocação. Se o seu meio do céu estiver num signo com um regente tradicional e um moderno, a posição por casa de ambos pode ser importante. Entretanto, a posição por signo do regente tradicional em geral é mais importante que a do regente moderno.

Planetas na 10ª casa e aspectos com o meio do céu

Os planetas na 10ª casa, principalmente quando em conjunção com o MC (*em qualquer lado do* MC), representam formas de ser, qualidades e tipos de atividade extremamente *importantes* para a pessoa, e que ela respeita. Devido a essa sensação de respeito, as pessoas muitas vezes demonstram essas qualidades ou expressam essas energias em público, com o intuito de que os outros façam bom conceito dela.

Além da conjunção, outros aspectos reduzidos com o meio do céu podem ser considerados de efeito quase equivalente. O tipo de aspecto é muito menos importante do que o planeta específico que faz o aspecto, e a exatidão do aspecto. Tradicionalmente, esses aspectos relacionam-se com a autoexpressão pública, a carreira e os objetivos vocacionais. Qualquer planeta em aspecto *reduzido* com o meio do céu indica um tipo de energia e de orientação que é essencial para você conquistar seu lugar no mundo, e que serve de veículo para suas contribuições à sociedade.

Por exemplo, com Vênus em aspecto reduzido com o meio do céu, é importante fazer alguma contribuição à sociedade em termos de arte ou beleza. As interações pessoa a pessoa provavelmente serão importantes para a autoexpressão pública, e provavelmente haverá interesse em fazer alguma contribuição social agradável e cooperativa.

Outro exemplo: nos mapas de três editores de que me lembro de imediato, Júpiter está em aspecto muito reduzido com o MC — conjunção em um e sextil nos outros dois. Tradicionalmente, Júpiter é o planeta das publicações.

O ponto Cego
Publicado originalmente em julho de 1943. Tirado de *Astrology, science of prediction*, de Sidney K. Bennett, Wynn Publishing Co., Los Angeles, CA, 1945.

7
As casas — diretrizes de interpretação

As casas representam as *áreas de experiência* onde operam as energias dos signos e dos planetas. Mais do que simbolizar apenas as experiências externas e as circunstâncias ambientais detalhadas pela astrologia mais tradicional, as casas revelam também as experiências e as atitudes vistas pelo lado de dentro, pessoal e subjetivo. Pela observação dos posicionamentos dos planetas no mapa natal, o astrólogo pode dizer quais os níveis ou as áreas de experiência que terão forte ênfase na vida da pessoa. O sistema de palavras-chave, analisado nas páginas seguintes, propõe-se a esclarecer, primordialmente, a interpretação e a compreensão do significado psicológico e interno das casas. É uma tentativa de captar os significados *essenciais* das áreas de experiência conhecidas como "casas". Os significados essenciais, uma vez entendidos, são reveladores e podem ser aplicados às diferentes atividades e experiências tradicionalmente simbolizadas pelas casas.

A abordagem holística da interpretação das casas

Enfatizar o *tipo de casa* que contém planetas no mapa natal ajuda a ver o mapa como um todo. Uma maneira bem conhecida de definir as casas é dividi-las nas categorias *angular, sucedente* e *cadente*.

As casas *angulares* (1, 4, 7, 10) associam-se à qualidade autopropulsora e causam impacto imediato na estrutura da vida das pessoas. A palavra-chave das casas angulares é AÇÃO.

As casas *sucedentes* (2, 5, 8, 11) associam-se a desejos pessoais e a áreas da vida que desejamos controlar e consolidar. A palavra-chave desse tipo de casa é SEGURANÇA.

As casas *cadentes* (3, 6, 9, 12) são áreas onde ocorre assimilação, intercâmbio e circulação de pensamentos e observações. A palavra-chave dessas casas é APRENDIZADO.

A progressão das casas — de angular a sucedente, desta a cadente e desta outra a angular — simboliza o fluxo da experiência da vida: agimos, consolidamos os resultados de nossos atos a fim de obter segurança, aprendemos com o que fizemos e percebemos que resta a fazer; dessa forma, voltamos a agir. Assim, uma pessoa com forte ênfase em algum desses três tipos de casas, por posicionamento planetário, invariavelmente despende muita energia e vive muitos desafios em relação à ação, segurança ou aprendizado.

As casas também podem ser divididas em grupos de três, conforme o elemento dos signos associados àquele grupo de casas. As palavras-chave e as diretrizes para entender esses grupos são as seguintes. (Ressaltamos que os termos "Triplicidade Psíquica", "Triplicidade da Riqueza" etc. são termos bastante antigos, que usamos aqui basicamente por serem classificações acessíveis.)

Casas de Água ("A triplicidade da psique" — 4, 8, 12):
Todas essas casas lidam com o passado, com as respostas condicionadas que agora são instintivas e operam através das emoções. Os planetas nessas casas mostram o que está acontecendo em níveis subconscientes e indicam o processo de conscientização por meio da *assimilação* dos ingredientes fundamentais do passado, libertando-nos ao mesmo tempo dos medos e lembranças inúteis que nos amarram. A pessoa com ênfase nessas três casas vive muito em seus sentimentos ou em seus mais profundos ANSEIOS. As necessidades emocionais e profundas controlam grande parte das atividades da vida e do dispêndio de energia da pessoa. Os planetas em casas de Água afetam a predisposição emocional da pessoa, a forma como ela lida com a satisfação das necessidades internas e enfrenta seus sentimentos obsessivos, e até que ponto ela vive reservadamente ou dentro de si mesma. As palavras-chave para as casas de Água são EMOCIONAL e ALMA.

Casas de Terra ("A triplicidade da riqueza" — 2, 6, 10):
Estas casas se associam com o nível de experiência no qual tentamos satisfazer nossas NECESSIDADES básicas no mundo prático. Os planetas nestas casas indicam energias que podem ser empregadas com mais facilidade para lidar com o mundo físico, e que podem evoluir para a destreza na administração de recursos. A pessoa com ênfase nestas três casas vive vigorosamente no mundo físico, construindo, fazendo, realizando, adquirindo e definindo seu propósito de vida por meio do *status* e da segurança alcançados. Quem tem forte ênfase nas casas de Terra tende a querer fixar-se numa posição estável na vida, já que o que busca é um lugar onde possa ser mais produtivo e satisfazer com mais facilidade suas necessidades práticas. Para essa pessoa, a forma mais imediata de sentir o seu eu é trabalhar, sentir-se útil, realizar algo de prático. Seu desejo é desincumbir-se de um chamado ou desempenhar um papel no grande mundo lá fora. Os planetas nas casas de Terra afetam as atitudes da pessoa em relação à vocação, ambições de carreira e capacidade de gerar resultados efetivos. A palavra-chave destas casas é MATERIAL, pois as casas de Terra tratam principalmente de questões do mundo material.

Casas de Fogo ("A triplicidade da vida" — 1, 5, 9):
Estas casas estão associadas com a atitude da pessoa em relação à vida e à experiência de estar vivo. Representam um extravasamento de energia no mundo e as *aspirações* e *inspirações* que nos motivam a agir assim. A pessoa com ênfase nestas casas vive de seus entusiasmos, ideais e sonhos para o futuro. A fé e a confiança (ou uma acentuada falta de fé e confiança) e a necessidade de ver que suas iniciativas surtem algum efeito no mundo em geral determinam grande parte da atividade de vida da pessoa. A forma mais imediata de sentir o eu é projetar sonhos no mundo e vê-los manifestados. Os planetas nas casas de Fogo afetam a ATITUDE EM RELAÇÃO À PRÓPRIA VIDA e todo o senso de fé e confiança em si da pessoa. A palavra-chave que resume o significado essencial das casas de Fogo é IDENTIDADE, pois nosso senso de identidade, nosso senso de *ser*, determina nossa atitude em relação à vida em geral.

Casas de Ar ("A triplicidade do relacionamento" — 3, 7, 11):
Estas casas estão associadas não apenas aos contatos sociais e a todos os tipos de relacionamentos, mas também aos CONCEITOS. Quem tem ênfase nessas casas vive pela mente e pelos relacionamentos. Os concei-

tos e o intercâmbio de conceitos dominam grande parte da atividade de vida da pessoa. Sua forma mais imediata de vivenciar o eu é pelo senso de compreensão mútua com os outros e pela descoberta e expressão da realidade e da importância de ideias e teorias específicas. Os planetas em casas de Ar afetam os interesses, as associações, o modo de expressão verbal e a vida social da pessoa. As palavras-chave das casas de Ar são SOCIAL e INTELECTUAL.

Segue-se uma formulação concisa das palavras-chave apresentadas acima:

Modo de expressão
Angular: AÇÃO
Sucedente: SEGURANÇA
Cadente: APRENDIZADO

Nível de experiência
Água: ALMA e EMOCIONAL
Terra: MATERIAL
Fogo: IDENTIDADE
Ar: SOCIAL e INTELECTUAL

As casas de Água

A 4ª CASA

A 4ª casa é a área de AÇÃO direta no nível EMOCIONAL e da ALMA. Toda ação nesse nível de experiência é necessariamente condicionada por fatores que fogem ao nosso controle. Tradicionalmente, a 4ª casa se relaciona, entre outras coisas, com o lar e a família. Em qual área da vida agimos tanto com base no hábito e na emoção como ao lidar com os membros da nossa família? Esta casa também simboliza o lar como fonte de renovação e proteção (ou sua falta).

Quem tem forte ênfase na 4ª casa sente necessidade de agir no mais profundo nível emocional a fim de assimilar a essência da experiência vivida na infância e na juventude. Essas pessoas anseiam por *paz para o próprio eu* e, dessa forma, quase sempre têm acentuada necessidade de privacidade. Muitas vezes concentram-se em atividades que desenvolvem a vida interior e estimulam o desenvolvimento da alma.

A 8ª CASA

A 8ª casa representa a necessidade de obter SEGURANÇA EMOCIONAL e SEGURANÇA PARA A ALMA. A sexualidade associada a esta casa não é incitada apenas pelo instinto, mas também pela necessidade de vivenciar a segurança emocional completa pela fusão com o outro. Muitas pessoas também tentam obter essa sensação de segurança conquistando poder e influência sobre os outros, ou por meio de transações financeiras. Embora as pessoas com ênfase na 8ª casa possam buscar segurança em valores materiais, poder, sexo ou conhecimento psíquico, o verdadeiro sentimento de segurança emocional e da alma só pode ser obtido quando começam a aquietar-se os tumultuados conflitos mentais que esta casa sempre simboliza. Os estudos ocultos associados a esta casa são proveitosos basicamente como meio de atingir a paz interior através do conhecimento das mais profundas leis da vida. A sexualidade da 8ª casa é uma expressão do impulso de renascer pela união com um poder maior do que o eu isolado. Em resumo, esta casa simboliza o desejo por *um estado de paz emocional*, que só é atingido pela libertação dos desejos e da voluntariosidade compulsiva

Esta casa também diz respeito a questões e atividades relacionadas com a energia liberada de várias maneiras e a forma subjacente de energia: portanto, cura, estudos ocultos, sexo, métodos transformadores, investimentos e encargos financeiros.

A 12ª CASA

A 12ª casa é a área de APRENDIZADO no nível EMOCIONAL e PROFUNDO. Esse aprendizado ocorre pelo aumento gradual de percepção que acompanha a solidão e o sofrimento intenso, pelo serviço desinteressado ou pela devoção a um ideal mais elevado. Em seu nível mais profundo, esta casa indica o impulso de buscar *paz para a alma* pela rendição a uma unidade mais elevada, pela devoção a um ideal transcendente, e pela libertação dos fantasmas de pensamentos e atos passados.

As casas de Terra

A 10ª CASA

Esta casa de Terra lida com a AÇÃO no nível MATERIAL; tradicionalmente, diz-se que ela representa a posição de uma pessoa no mundo, sua reputação, sua ambição e sua vocação. Os atos de qualquer pessoa no mundo material são a base onde assenta sua reputação. Além disso, para poder agir efetivamente sobre o mundo material, é preciso ter *autoridade* para fazê-lo — outro significado da 10ª casa. As palavras-chave também aclaram a associação tradicional da 10ª casa com a ambição específica que se deseja concretizar no mundo, ou que se sente *chamado* a realizar como contribuição à sociedade. Nesse último caso, existe um senso de destino que transcende a ambição pessoal.

A 2ª CASA

As palavras-chave da 2ª casa são SEGURANÇA MATERIAL. Essas palavras são apropriadas para descrever a relação desta casa com dinheiro, ganhos, posses e vontade de controlar pessoas e coisas. As palavras-chave também aclaram um princípio mais amplo subjacente a essas inclinações, pois a preocupação de muitas pessoas com forte ênfase na 2ª casa não é tanto o dinheiro em si, e sim a garantia de segurança no plano material. Para garantir essa segurança, é preciso ter recursos em abundância, o que muitas vezes inclui dinheiro. As atitudes em relação a todas essas coisas em geral são claramente simbolizadas pelos fatores da 2ª casa.

Outra fonte de *segurança material* frequentemente manifestada pelas pessoas com ênfase na 2ª casa é a importância da influência repousante e estabilizadora do *contato com a natureza*. Para muitas delas, uma sintonia inata e significativa com o meio ambiente é uma fonte de segurança cuja importância equivale à das posses materiais. Por esse mesmo raciocínio, pode-se dizer que o apego à forma e às coisas é uma expressão de um forte relacionamento com a terra.

A 6ª CASA

A 6ª casa tem sido associada a trabalho, saúde, serviço, deveres e prestimosidade. Ao ver que o princípio subjacente à 6ª casa é o do APRENDIZADO pela experiência imediata das questões MATERIAIS, fica fácil entender o que move essas atividades. Aprendemos a respeito das necessidades e limitações de nosso corpo físico principalmente por meio de problemas de saúde; adquirimos compreensão prática de nós mesmos pelo desempenho cotidiano de nosso trabalho e de nossos deveres. Todas essas áreas de experiências ajudam-nos a aprender a humildade, a aceitar nossas limitações e a assumir a responsabilidade por nosso estado de saúde, tanto físico como psicológico. Quando se entende que a 6ª casa representa uma fase de purificação, aprimoramento e desenvolvimento da humildade por meio do contato imediato com o plano material da experiência, podemos começar a interpretar esta casa de maneira verdadeira e positiva.

As casas de Fogo

A 1ª CASA

A casa de Fogo angular é a 1ª casa e representa a IDENTIDADE da pessoa em AÇÃO. Tradicionalmente, esta casa está associada com a energia e a aparência do corpo material. Usando as palavras-chave, podemos ver que o corpo é a identidade da pessoa em ação.

As pessoas nos reconhecem e são influenciadas pela nossa maneira mais característica de nos movermos e expressarmos fisicamente. As palavras-chave também indicam as formas de criatividade, iniciativa, liderança e autoexpressão que são *caracteristicamente* nossas e que são mostradas pelos fatores da 1ª casa.

A 5ª CASA

A casa de Fogo sucedente, a 5ª, representa a busca de SEGURANÇA PARA A IDENTIDADE. A pessoa com ênfase nesta casa procura um senso de segurança para o eu identificando-se com coisas ou pessoas nas quais se vê refletida: coisas que fez, coisas e pessoas que ama, o fato de ser apreciada, notada ou aplaudida pelos outros. A vontade de ser *importante* e o esforço para dar segurança à identidade refletem-se em todos os assuntos habitualmente associados a esta casa: filhos, criatividade e casos amorosos.

Esta casa também se associa aos riscos que assumimos. Virtualmente todos os assuntos da 5ª casa (jogo, casos de amor, ter filhos, criatividade, expressar-se em público) são essencialmente arriscados. Com isso, podemos aprender que a segurança de nossa identidade aumenta quando desenvolvemos a capacidade de assumir riscos. O senso de identidade rígido e estático não é seguro.

A 9ª CASA

A casa de Fogo cadente, a 9ª, representa o APRENDIZADO em nível de IDENTIDADE; em outras palavras, *aprender quem a pessoa realmente é*. Desse princípio essencial derivam todas as atitudes religiosas e filosóficas, as viagens, as buscas, as atividades com as quais essa casa é habitualmente associada. As pessoas com ênfase nesta casa são atraídas por atividades que ampliam seu horizonte de autopercepção, aumentam o alcance de sua compreensão e ajudam-nas a ver a natureza humana com senso de perspectiva e chegar a uma visão geral mais ampla possível do universo. As pessoas com uma

9ª casa forte precisam da sensação de desenvolvimento pessoal, de espaço e de vastas possibilidades.

As casas de Ar

A 7ª CASA

A 7ª casa simboliza a AÇÃO no nível SOCIAL e INTELECTUAL. Os relacionamentos interpessoais são a experiência básica desta casa; todas as estruturas e atividades sociais dependem da qualidade do relacionamento pessoal. Em nível individual, a qualidade do relacionamento principal de uma pessoa tem tal impacto que sua influência permeia todas as outras áreas da vida: saúde, finanças, sexo, filhos, sucesso profissional etc.; portanto, essas parcerias têm profundo impacto sobre a vida social e o desenvolvimento intelectual da pessoa.

A 11ª CASA

A casa de Ar sucedente é a 11ª, que representa a busca de SEGURANÇA SOCIAL e INTELECTUAL. As pessoas cujos mapas natais têm a 11ª casa em evidência tendem a associar-se a grupos ou juntar-se a amigos com as mesmas inclinações intelectuais, mesmo que não concordem sobre todos os pormenores. A busca de segurança intelectual também faz com que se voltem para os grandes sistemas de pensamento, sejam eles políticos, metafísicos ou científicos. A forma mais eficaz de que dispõe uma pessoa com uma 11ª casa forte para conquistar a segurança que busca é estabelecer um forte senso de *propósito* individual, que, além de satisfazer suas necessidades pessoais, também se *harmonize com as necessidades do conjunto da sociedade.*

A 3ª CASA

A 3ª casa é a área de APRENDIZADO no nível SOCIAL e INTELECTUAL. Representa, portanto, todas as formas de intercâmbio de informações, como por exemplo as habilidades básicas de comunicação, a mídia, a comercialização etc. As pessoas com forte ênfase na 3ª casa sentem uma necessidade profunda e às vezes insaciável de se comunicar com os outros; frequentemente, têm um modo desenvolto e afável de lidar com as pessoas dos mais diferentes tipos e com os mais diversos interesses (dependendo dos planetas presentes nesta casa). Enquanto o aprendizado da 9ª casa resulta do uso da mente intuitiva inspirada, o aprendizado da 3ª casa se efetiva pela aplicação da lógica, da razão e da curiosidade sem fim.

    Esta casa, além de representar todas as questões relativas à comunicação com os outros, também mostra como funciona a mente da pessoa. Os planetas nesta casa revelam como usamos nossa mente e comunicamos nossos pensamentos, e também qual o impacto da nossa maneira de raciocinar sobre a nossa vida em geral.

Diretrizes de interpretação para entender os posicionamentos por casa

    Constatei que as quatro diretrizes seguintes são extraordinariamente confiáveis para entender os mapas natais e as vidas de pessoas refletidas por esses mapas:*

* NOTA IMPORTANTE: O leitor notará, nas páginas que se seguem, que as diretrizes para interpretar casas não são tão específicas quanto as diretrizes de interpretação para os planetas nos signos, e há boas razões para que sejam assim. Em primeiro lugar, dou mais preferência a uma abordagem aberta para entender as casas de qualquer mapa em particular, já que cada casa tem um número virtualmente infinito de significados derivados, e já que as circunrtâncias, os valores, os antecedentes e o nível de consciência de cada pessoa constituem um padrão absolutamente único. Em segundo lugar, é mais fácil e mais apropriado ser mais específico sobre os planetas nos signos, visto que estes revelam a verdadeira energia operante da vida, e

a) As casas mostram para onde é atraída a atenção da pessoa. Quanto mais planetas houver numa casa, maior atenção precisa ser dada àquela área de experiência da vida da pessoa.

b) As casas mostram para onde a pessoa canaliza suas energias com mais naturalidade. Ela expressa a energia do planeta nas atividades e experiências relacionadas com a casa em questão.

EXEMPLO: Vênus na 4ª casa. A pessoa expressa com mais naturalidade a energia emocional e amorosa de Vênus em ambientes onde há privacidade e em experiências relativas a assuntos domésticos, familiares ou parentais. O impulso do prazer e do bem-estar social se expressa com mais facilidade na vida privada e na própria casa.

c) O posicionamento de um planeta por casa mostra onde a pessoa *se deparará de modo mais imediato* com a dimensão de experiência simbolizada por esse planeta.

EXEMPLO: Vênus na 4ª casa. A pessoa se deparará de modo mais imediato com a experiência do amor e da partilha emocional em suas atividades privadas, na constituição de uma família ou no desenvolvimento de sua alma.

d) O posicionamento de um planeta por casa mostra onde a pessoa procura, com mais naturalidade, satisfazer as necessidades simbolizadas por esse planeta.

EXEMPLO: Mercúrio na 7ª casa. A pessoa procura satisfazer suas necessidades intelectuais e de comunicação por meio de relacionamentos íntimos e de várias associações com os outros.

---

as casas são bastante secundárias. Por exemplo: é possível tirar-se uma boa dose de conclusões astrológicas sem recorrer em absoluto às casas, como se torna necessário quando o horário exato de nascimento é desconhecido. Mesmo nesse caso, pode-se fazer aproximadamente 60 a 90% de astrologia de utilidade prática com a pessoa. E, por último, a posição de um planeta por signo e seus aspectos são tão importantes e predominantes que a tentativa de interpretar a posição por casa de um planeta, tomada isoladamente, sem referi-la à posição por signo e aos aspectos, resulta frequentemente em avaliações extremamente incorretas. É, de longe, preferível usar diretrizes confiáveis e descobrir a realidade através do diálogo.

Diretrizes de interpretação para a posição por casa de cada planeta

O uso das diretrizes abaixo num *diálogo* pessoal direto (e não na "leitura" astrológica tradicional e unilateral) permitirá que as duas pessoas envolvidas vivenciem uma surpreendente sessão conjunta de descoberta.

☉ Em qualquer casa em que o SOL esteja, é aí que a pessoa sente de modo mais imediato o seu eu básico e sua essência criativa. Essa área de experiência vitaliza a pessoa e é fundamental para a sua sensação de bem-estar.

☽ Em qualquer casa em que a LUA esteja, é aí que a pessoa busca satisfação emocional, segurança emocional e senso de adequação. Nessa área de experiência, a pessoa tem de modo mais imediato a sensação de fazer parte do contexto e uma autoimagem mais estável e clara.

☿ Em qualquer casa em que MERCÚRIO esteja, é aí que a pessoa vivencia de modo mais imediato o significado da verdadeira comunicação; nessa área de experiência, o intelecto está constantemente ativo. É possível que a pessoa precise de um intercâmbio habitual de energia mental com os outros a fim de ter clareza sobre essa área da vida.

♀ Em qualquer casa em que VÊNUS esteja, é aí que a pessoa busca prazer, contentamento e felicidade. É nessa área de experiência que a pessoa pode doar a si mesma e a seus afetos, e pode adquirir um senso mais profundo de apreço pelos outros, bem como a sensação de ser apreciada por eles.

♂ Em qualquer casa em que MARTE esteja, é aí que a pessoa consegue sintonizar-se de modo mais imediato com sua assertividade, sua coragem e seu senso de iniciativa. Esta área de experiência é crucial para a manutenção da energia física e da saúde; teoricamente, as atividades nessa área da vida energizariam a pessoa e representariam um estímulo para reacender a motivação para lutar.

♃ Em qualquer casa em que JÚPITER esteja, é aí que a pessoa pode sentir de modo mais imediato fé, confiança e esperança no futuro. Nessa área de experiência, a pessoa tem mais facilidade para adquirir uma consciência otimista da própria capacidade de se desenvolver e progredir.

♄ Em qualquer casa em que SATURNO esteja, é aí que a pessoa pode sentir estabilidade, estrutura, satisfação profunda e o *sentido* da vida. Nessa área da vida, é preciso trabalhar e assumir responsabilidades, e aceitar a pressão como algo necessário que plasma o caráter. Essa casa representa, invariavelmente, uma área de experiência particularmente importante para a pessoa.

♅ Em qualquer casa em que URANO esteja, é aí que a pessoa vivencia de modo mais imediato sua singularidade, sua originalidade, seu gênio, sua objetividade, sua necessidade de excitação. Nessa área da vida, a pessoa se expressa livremente, intuitivamente, inventivamente e experimentalmente. É também nessa casa que a pessoa consegue sintonizar-se com assuntos que dizem respeito à sociedade em geral e contribuir para introduzir mudanças positivas no mundo.

♆ Em qualquer casa em que NETUNO esteja, é aí que a pessoa consegue vivenciar de modo mais direto a realidade do não material, do místico, do transcendente, do inspirador. É aí que ela consegue ligar-se mais prontamente à torrente da imaginação, bem como onde ela geralmente tentará furtar-se à rotina e às condições opressoras e não inspiradoras. Esta casa, em alguns casos, pode dar uma pista sobre o tipo de experiências que podem ajudá-lo a espiritualizar e aprimorar a sua vida. Também é a casa onde a pessoa pode idealizar as coisas excessivamente.

♇ Em qualquer casa em que PLUTÃO esteja, é aí que a pessoa vivencia uma transformação cabal nas próprias atitudes e na expressão de padrões de hábitos até então extremamente compulsivos. O enfoque em relação a esta área de experiência geralmente é particularmente profundo e meticuloso; o fato de olhar essa área de frente, com honestidade e franqueza, pode contribuir para a evolução da consciência.

Um ponto crucial na interpretação das casas

Deve-se observar que os planetas em conjunção de até 6° com a cúspide de uma casa, *em qualquer lado da cúspide*, devem ser considerados nitidamente *pertencentes* a essa determinada casa. Por exemplo, se a cúspide da 5ª casa de alguém está a 24° de Sagitário e Vênus está a 18° de Sagitário, Vênus está *em conjunção* com a cúspide da 5ª. Embora a maioria dos astrólogos tradicionais interprete esse Vênus como *exclusivamente* pertencente à 4ª casa, esse enfoque antigo pressupõe as casas como pequenos compartimentos estanques de atividade de vida, que começam e terminam abruptamente. Contudo, a experiência ensina que as casas são campos de experiência — como campos de energia — cuja força cresce lentamente, atinge o auge e em seguida declina.*

Talvez a aplicação mais importante dessa diretriz de interpretação seja a compreensão adequada das conjunções com a linha do horizonte do mapa — ou seja, quando um planeta está conjunto ao ascendente ou ao descendente. Já perdi a conta do número de vezes em que me disseram, muitas vezes num tom que denotava confusão, coisas desse tipo: "Tenho um Marte de 12ª casa, mas ele atua como se fosse um planeta de 1ª casa", ou "Não tenho nada na 7ª casa, apesar de Saturno estar na 6ª, a apenas 4° da cúspide da 7ª, e um Saturno de 7ª casa faria muito mais sentido, considerando a minha vida". Aqui caberia dizer: o que anda como pato e grasne como pato provavelmente é um pato. Essas pessoas têm, de fato, um Marte de 1ª Casa e um Saturno de 7ª casa!

Qualquer planeta em conjunção de até 6° com o ascendente ou com o descendente deve ser considerado um planeta de 1ª ou 7ª casa. Esse planeta, portanto, representa uma dimensão de expe-

---

* As constatações da pesquisa de Michel Gauquelin tenderiam a confirmar a importância das conjunções com a cúspide das casas, mesmo com o planeta posicionado no lado da cúspide que pertence à casa anterior.

riência profundamente importante, e às vezes até predominante, na maneira global de a pessoa encarar a vida. Da mesma forma, qualquer planeta conjunto ao meio do céu (também chamado MC, que é cúspide da 10ª casa na maioria dos sistemas de casas) ou em seu ponto oposto, o IC,* também tem um importante impacto sobre a motivação, a reputação, a segurança, a influência dos pais, e assim por diante — sobre todos os assuntos da 10ª e da 4ª casas. Isso se aplica mesmo se o planeta aparentemente estiver na 3ª ou na 9ª casas, desde que esteja a menos de 6° do MC ou do IC.

Diretrizes de interpretação para os signos das cúspides das casas

Os signos das cúspides das casas sucedentes e cadentes fazem parte de um sistema inter-relacionado que pode ser esclarecedor, de modo muito semelhante ao que acontece com os signos das quatro cúspides das casas angulares (1ª, 4ª, 7ª, 10ª). Entretanto, os signos das cúspides não angulares não são tão proeminentes ou visíveis na personalidade (a menos que contenham planetas), e não devem ser exageradamente enfatizados na interpretação. Em geral, as diretrizes abaixo são confiáveis para a interpretação prática de mapas, tendo sempre em mente que uma cúspide de casa perto do começo ou do fim de um signo pode, na realidade, cair num signo diferente se for usado um sistema diferente de casas, ou se a hora de nascimento tiver um erro de até alguns minutos! Esta é outra razão para ser cauteloso e moderado ao usar os signos das cúspides na interpretação. Em geral, é melhor concentrar-se nas casas onde há planetas do que atribuir importância demasiada a casas vazias ou a signos de cúspides como fatores interpretativos isolados.

* *Imum coeli*: fundo do céu.

a) O signo de uma cúspide mostra a *abordagem* e a *atitude* em relação à área de experiência simbolizada por aquela casa.

EXEMPLOS: Libra na cúspide da 6ª casa. A pessoa tem uma abordagem equilibrada do processo de aprendizado pela experiência em todos os assuntos materiais. A pessoa com Libra na cúspide da 6ª é rápida em captar e tentar harmonizar qualquer conflito no ambiente de trabalho ou desarmonia na própria saúde.

Touro na cúspide da 11ª casa. A maneira de buscar segurança social e intelectual é manter a constância e um firme vínculo com a realidade. A pessoa sente mais segurança intelectual quando sabe que existe efetivamente uma realidade física, palpável. Socialmente, busca a segurança pela lealdade inabalável compartilhada com os outros.

b) O signo de uma cúspide mostra as *qualidades de experiência* relacionadas com a área de experiência dessa casa e as energias específicas ativadas por esse tipo de atividade.

EXEMPLO: Peixes na cúspide da 2ª casa. A experiência da pessoa com a segurança material pode, muitas vezes, assumir uma conotação enganosa e confusa. Por mais prática que a pessoa possa ser sob outros aspectos, a experiência de ter bens materiais seguros sempre contém algum elemento de idealismo ou dúvida. Aparentemente, a pessoa está aprendendo a se desembaraçar de um senso de controle sobre essa área.

8
Como entender os aspectos planetários

As interações dinâmicas entre as várias energias da vida são representadas, em nível pessoal, pelos "aspectos" do mapa natal — ou seja, pelos ângulos formados entre os planetas, e entre o ascendente ou o meio do céu e os planetas. Os aspectos já foram chamados de "linhas de força" entre os vários centros de energia (planetas) no campo de energia mapeado pela carta astrológica. No mapa natal, que revela esse campo de energia com notável precisão, os aspectos são medidos dentro do círculo de 360°. Neste livro enfocaremos os aspectos mais comumente usados — os que se formam a cada 30° — todos eles, em minha opinião, "aspectos maiores", confiáveis e esclarecedores. A teoria matemática dos aspectos foi explicada em muitos outros livros,* e não vamos nos estender sobre esse tema aqui. Este capítulo propõe-se a dar diretrizes para a compreensão prática dos aspectos na interpretação de mapas.

Os aspectos podem ser classificados em dois grupos:

ASPECTOS DINÂMICOS OU DESAFIADORES:

Trata-se da quadratura (90°), da oposição (180°), do quincunce (150°) e às vezes, dependendo da harmonia dos planetas e signos envolvidos, da conjunção (0°) e do semissextil (30°).** Esses ângulos

---

* Ver especialmente o capítulo 6 de *Astrologia, karma e transformação*, deste autor. O capítulo citado também traz explicações detalhadas sobre muitos aspectos específicos.

** Eu não insistiria para que os participantes em astrologia usassem os aspectos de 45° e 135°, embora essa prática seja bastante generalizada entre os astrólogos. Pessoalmente, não descobri neles nenhuma utilidade especial. Cerca de 50% desses aspectos envolvem planetas em elementos harmônicos, sendo assim considerados aspectos levemente harmônicos ou fluentes. Os

correspondem à experiência de tensão interna, e em geral incitam a alguma espécie de ação definida, ou pelo menos ao desenvolvimento de maior percepção das áreas indicadas. Embora os escritores de astrologia frequentemente apliquem a esses aspectos o termo "desarmônico" (bem como "difícil" ou "mau"), essas expressões podem ser enganosas, já que a pessoa tem a possibilidade de criar um modo relativamente harmônico de expressão dessas energias, assumindo responsabilidades, trabalho ou outros desafios capazes de absorver toda a intensidade da energia liberada. Os aspectos desafiadores mostram que as energias envolvidas (e portanto as dimensões de vida da pessoa cujo mapa contém o aspecto) não vibram em harmonia. Uma tende a interferir na expressão da outra e criar tensão dentro do campo de energia, como se fossem duas ondas energéticas em relação reciprocamente discordante, dando origem ao que poderia ser chamado de tom instável ou irritante. Essa irritação, ou instabilidade, pode, contudo, levar a pessoa a tomar medidas para dissolver a tensão. Por exemplo, um aspecto dinâmico entre Mercúrio e Marte pode manifestar-se como impaciência (Marte) ao comunicar-se (Mercúrio), forte desejo (Marte) de aprender (Mercúrio), tendência a afirmar com demasiado vigor (Marte) suas ideias e opiniões (Mercúrio), irritabilidade do sistema nervoso, natureza excessivamente crítica etc. Se a irritabilidade e a tensão interior forem controladas e direcionadas com sucesso, entretanto, essa pessoa tem boa possibilidade de conseguir concentrar o enorme desejo de aprender no desenvolvimento de habilidades excepcionais que demandam inteligência aguda. Esse relacionamento planetário pode ser expresso da seguinte forma:*

---

outros 50% envolvem planetas em elementos desarmônicos, sendo assim considerados aspectos moderadamente dinâmicos ou desafiadores.

* Para uma explicação mais detalhada dos dois gráficos seguintes e do fluxo de energia representado por eles, ver páginas 110 e 111 de *Astrologia, karma e transformação*.

♂ ─────
☿ ─ ─ ─ ─

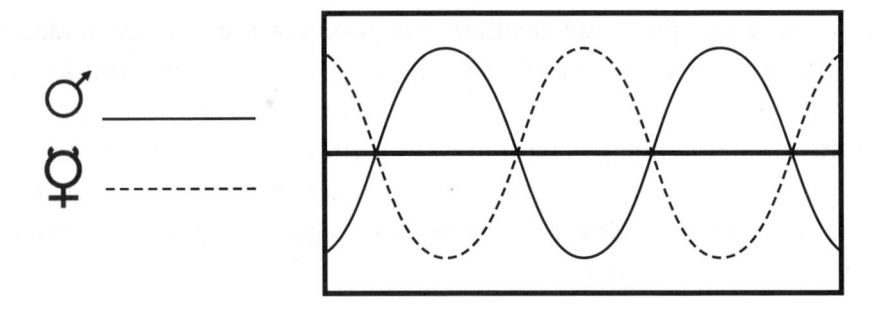

ASPECTOS HARMÔNICOS OU FLUENTES:

Trata-se do trígono (120°), do sextil (60°), de algumas conjunções (0°) (dependendo dos planetas envolvidos) e de alguns semissextis (30°) (dependendo da harmonia dos planetas e dos elementos dos signos envolvidos). Esses ângulos correspondem a capacidades, talentos e modos de compreensão e expressão espontâneos, que a pessoa é capaz de utilizar e desenvolver com relativa facilidade e uniformidade. Essas capacidades constituem um patrimônio pessoal firme e confiável, de que a pessoa pode fazer uso a qualquer momento. Embora o indivíduo possa preferir concentrar sua energia e atenção nos aspectos mais dinâmicos e desafiadores da vida, esses aspectos fluentes efetivamente representam o *potencial* de desenvolvimento de talentos extraordinários. Porém, ao contrário dos aspectos dinâmicos, eles indicam sobretudo um *estado de ser* e uma *sintonia espontânea* e inata com um canal de expressão firmado e cômodo, enquanto os aspectos dinâmicos indicam a necessidade de *ajuste* através de esforço, ação direta ou desenvolvimento de novos canais de autoexpressão. Os aspectos harmônicos mostram que as energias envolvidas (e, portanto, as duas dimensões do ser do indivíduo) vibram em harmonia, dessa forma *reforçando* uma à outra dentro do campo de energia da pessoa, como se fossem duas ondas se harmonizando e se misturando numa expressão unificada de energias complexas. Voltando ao exemplo de Mercúrio e Marte, um aspecto harmônico entre eles indica uma combinação automática das duas energias, que pode resultar em potência mental, capacidade de afirmar as próprias ideias, sistema nervoso robusto, capacidade de transformar ideias em ações definidas. É como se Mercúrio emprestasse sua inteligência para nortear a autoafirmação de Marte, ao mesmo tempo em que Marte energizasse a percepção e a expressão verbal mercurianas. Esse relacionamento planetário pode ser visualmente expresso dessa forma:

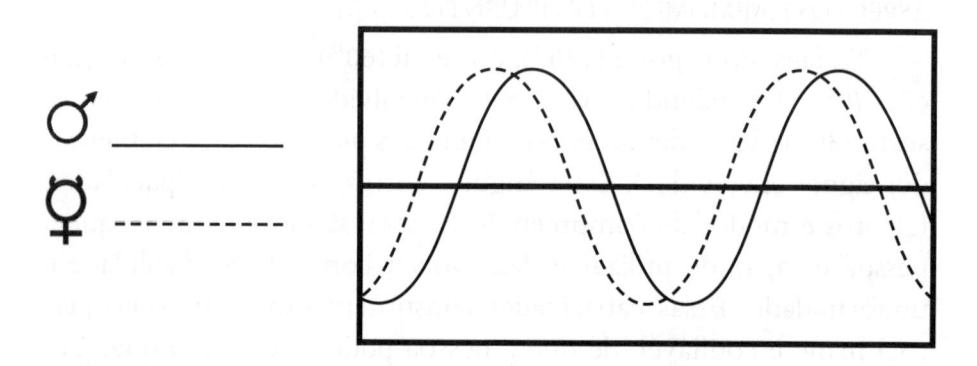

Um ponto importante é que *cada aspecto precisa ser avaliado de acordo com a natureza dos planetas e signos envolvidos*. Existem evidências consideráveis de que alguns dos aspectos de trígono correspondem, em muitos casos, a condições ruinosas e problemáticas, a despeito de a doutrina tradicional considerar esses aspectos "benéficos". Por exemplo, os trígonos de Urano são comuns nos mapas de pessoas particularmente egocêntricas, incapazes de cooperar, dadas à síndrome do "eu sei tudo", e com um nível tão alto de alvoroço em relação a seus interesses que demonstram extrema impaciência com os outros. Ao contrário, verifica-se muitas vezes que os aspectos dinâmicos simbolizam uma energia que pode ser expressa com muita concentração, poder e criatividade, embora de fato mostrem frequentemente conflitos e problemas (às vezes simultaneamente). Se pudermos começar a ver o valor inerente ao desafio, ao esforço e mesmo à dor, podemos começar a entender os aspectos de forma precisa, profunda e prática.

Uma lei para interpretar os aspectos

Esta é minha lei favorita para interpretar os aspectos:
Os planetas nos signos representam os impulsos básicos de expressão e as necessidades básicas de satisfação, porém os aspectos revelam a verdadeira condição do fluxo de energia e, portanto, quanto esforço pessoal é necessário a fim de expressar um determinado impulso ou satisfazer uma determinada necessidade.

Em outras palavras, um determinado aspecto não nos diz se a pessoa vai viver ou conseguir algo específico; o que ele informa, de fato, é quanto esforço será necessário, num sentido relativo, para conseguir um determinado resultado. Esta é uma diretriz de interpretação que vale a pena estudar a fundo e reter. É absolutamente crucial entender essa lei para poder interpretar os aspectos com precisão e sutileza.

Os aspectos maiores

Aqui estão algumas diretrizes para a interpretação dos aspectos maiores:*

CONJUNÇÃO (0°):
Qualquer conjunção num mapa individual deve ser considerada importante, visto que indica intensa fusão e interação de duas ener-

* Considero todos os múltiplos de 30° como aspectos "maiores", ao contrário da maioria dos livros de texto astrológicos, que tratam o semissextil ou um quincunce como aspectos menores. Em muitas pessoas, um semissextil ou um quincunce podem ser mais notórios ou ativos do que um trígono.

gias vitais. As conjunções mais fortes de todas são as que envolvem algum dos "planetas pessoais" (Sol, Lua, Mercúrio, Vênus e Marte) ou o ascendente. Essas conjunções sempre caracterizam modos de fluxo de energia e expressão pessoal particularmente fortes (de acordo com o planeta e o signo) e ênfases predominantes na vida da pessoa (de acordo com a casa). A palavra-chave da conjunção é AÇÃO e AUTOPROJEÇÃO.

SEMISSEXTIL (30°):

Este é um aspecto tradicionalmente considerado menor, mas às vezes pode ser até mais visível do que a conjunção, dependendo dos planetas envolvidos e dos outros aspectos dos dois planetas. Os planetas em semissextil estão constantemente interagindo e acrescentando à energia do outro. Em geral, eles não geram a tensão da quadratura e, na verdade, geralmente seu efeito é mais suave que o do quincunce, porém eles são persistentes e quase sempre notórios, se o aspecto for bastante reduzido.

SEXTIL (60°):

O sextil parece ser um aspecto de abertura para o novo: novas pessoas, novas ideias, novas atitudes. Simboliza o potencial para estabelecer novos contatos, com pessoas ou com ideias, que podem acabar levando a um novo aprendizado. Esse aspecto via de regra envolve signos de elementos harmônicos, e portanto energias compatíveis. O sextil mostra uma área da vida na qual a pessoa pode cultivar não apenas um novo nível de compreensão, mas também um maior grau de objetividade, capaz de gerar uma sensação de grande liberdade. Indica uma sintonia automática e natural, e às vezes uma habilidade específica.

QUADRATURA (90°):

A quadratura geralmente envolve planetas em elementos desarmônicos; assim, a integração de energias tão contrastantes exige um esforço significativo. Qualquer quadratura reduzida envolvendo algum dos planetas pessoais representa um desafio maior de vida. Um aspecto de quadratura mostra onde a energia precisa ser *liberada*, usualmente através de algum tipo definido de ação, para que possa ser montada uma nova estrutura. Muitos astrólogos escreveram que o aspecto de quadratura tem a natureza de Saturno: representa aquilo com que você *precisa* lidar. Outra faceta saturniana relacionada com a quadratura é o *medo*, pois muitas vezes receamos lidar com o que quer que esteja simbolizado pela quadratura em nosso mapa. Ter medo do desafio restringe a energia disponível para lidar eficazmente com o problema em questão, seja ele qual for.

TRÍGONO (120°):

O aspecto de trígono representa um fluxo desenvolto de energia através de canais existentes de expressão. Não é preciso construir uma nova estrutura nem fazer ajustes de monta à própria vida para utilizar criativamente essa energia. Os planetas envolvidos no trígono revelam dimensões de vida e energias específicas que estão naturalmente integradas e que fluem juntas harmonicamente. (Observe que os trígonos, via de regra, envolvem signos do mesmo elemento, que é a base da harmonia das energias.) Esse aspecto muitas vezes mostra uma forma de *ser*, entretanto, e não uma forma de *fazer*, muitas vezes a pessoa não dá importância às capacidades e talentos mostrados pelo trígono e, assim, às vezes não se sente desafiada a fazer o esforço necessário para usar construtivamente a energia.

QUINCUNCE — OU INCONJUNÇÃO — (150°):

Esse aspecto indica um vigoroso fluxo de energia entre as dimensões de vida simbolizadas pelos planetas envolvidos, porém a pessoa pode sentir que a experiência dessas energias é compulsiva demais ou constantemente incômoda. É difícil ficar ciente das duas energias ao mesmo tempo, e em geral a pessoa precisa fazer um esforço planejado e consciente nesse sentido. Observe que o aspecto de quincunce usualmente envolve signos que, além de serem de elementos desarmônicos, também são de modalidades diferentes. (Ex: um quincunce entre planetas em Gêmeos e Capricórnio envolve Ar mutável e Terra cardeal — uma dessemelhança bem grande, mas potencialmente uma combinação de compreensão profunda e habilidade prática.) É importante estar ciente das duas energias, porque muitas vezes parece que a expressão de cada um dos dois fatores envolvidos depende do outro. Dessa forma, se não houver consciência das duas energias, uma delas pode interferir na outra, criando um problema por falta de boa integração entre as energias. Lidar com esse aspecto, efetivamente, requer discernimento para ajustar sutilmente a abordagem a essas áreas da vida, em vez de tentar forçar uma solução.

OPOSIÇÃO (180°):

A oposição, principalmente porque via de regra envolve planetas em elementos harmônicos, indica um grau de *superestimulação* do campo de energia da pessoa, o que muitas vezes se manifesta como a sensação de estar preso entre duas tendências completamente opostas. Em geral, ela é sentida mais diretamente como um desafio constante na área dos relacionamentos pessoais. É frequente verificar-se uma acentuada falta de objetividade, já que a pessoa tende a empenhar-se numa "projeção" de diferentes lados de sua natureza nos outros; dessa forma, existe uma certa dificuldade em discernir o que lhe pertence e o que pertence aos outros. Ter uma oposição no mapa é como ser puxado por duas tendências contrastantes e às vezes contraditórias. Os signos opostos são semelhantes sob vários aspectos e na realidade se complementam, mas não há como negar que, sob muitos outros aspectos, eles também são totalmente opostos.

Órbitas e interações planetárias

Os aspectos, evidentemente, não consistem unicamente em ângulos matemáticos. Os planetas e signos envolvidos num aspecto retratam as energias que estão interagindo numa pessoa. Os planetas envolvidos em aspectos *reduzidos* representam dimensões de experiência raramente expressas ou sentidas isoladamente. Sempre existe um efeito de um sobre o outro, não importa qual seja o tipo de aspecto maior que formem no mapa natal. Sob muitos ângulos, o *tipo* de aspecto entre dois ou mais planetas é menos significativo na interpretação do que o fato de essas duas energias específicas estarem em constante interação.

Em outras palavras, por exemplo, o Sol em aspecto reduzido com Urano terá a maior parte das mesmas qualidades, seja o aspecto uma quadratura, um trígono, um quincunce ou um semissextil. Sem dúvida, existe uma diferença considerável entre os aspectos, conforme expusemos na seção anterior; entretanto, minha tendência é dar mais atenção às interações e combinações das energias planetárias específicas envolvidas num aspecto. As manifestações positiva e negativa de uma dada combinação planetária podem coexistir, sendo tanto uma como outra expressas por uma determinada pessoa, independentemente do ângulo exato que separa os dois planetas. A exatidão do aspecto é invariavelmente importante no tocante ao grau de intensidade que um aspecto em particular manifesta.

Na verdade, ao longo dos anos acabei adquirindo a convicção de que a maioria dos aspectos exatos é sempre mais forte e deve receber a maior atenção na interpretação do mapa. Os estudantes de astrologia de nível básico e médio fariam bem em voltar sua atenção para o aspecto ou aspectos mais reduzidos de qualquer mapa sob consideração, logo que começarem a dar consultas ou a avaliar mapas. Muitos livros sobre astrologia aconselham os alunos a considerar órbitas* de até 12° na interpretação dos aspectos. Minha experiência leva-me a concluir o seguinte: quanto mais se conhece o que funciona de fato na astrologia, menores são as órbitas adotadas.

Preciso afirmar que uma órbita de 8° ou 9° é completamente inaceitável para a maioria dos aspectos, porque esses aspectos não têm efeito significativo! Isto quer dizer que a interação dessas energias não tem nenhum grau de dinamismo. Somente no caso dos aspectos do Sol, da Lua e do ascendente eu pensaria em adotar uma órbita superior a 7°; no caso dos outros aspectos, até uma órbita de 6° já está ficando grande demais. Recomendo enfaticamente aos principiantes em astrologia que se concentrem nos aspectos com órbitas não superiores a 5°, nas fases iniciais de seus estudos.

A avaliação de qualquer aspecto específico do mapa natal também precisa levar em consideração, além da natureza intrínseca dos planetas envolvidos, o fato de cada um dos planetas estar em signo compatível — ou seja, num signo que sirva de veículo para a livre expressão de sua natureza essencial. Se a posição de um planeta por signo, por si só, representar um conflito inerente, até um aspecto harmônico pode ter uma manifestação menos harmônica. Por outro lado, se a posição de um planeta por signo for particularmente cômoda e compatível, até um aspecto desafiador reduzido pode não representar uma prova tão dura quanto poderia parecer à primeira vista.

Em resumo, cada aspecto específico de qualquer mapa é, de fato, um caso completamente único, por estar intrincadamente entrelaçado com toda a estrutura do mapa (e, portanto, com a trama da vida da pessoa). Por conseguinte, é preciso aprender os princípios básicos da interpretação dos aspectos para fazer um trabalho preciso, mas em última análise é preciso ter uma vasta experiência para

---

* "Órbitas", na tradição astrológica, é o desvio tolerado (em número de graus) do ângulo exato, quando a influência dinâmica do aspecto continua atuante.

ser capaz de entender as complexidades desses fatores interpretativos essenciais em mapas reais de pessoas.

Diretrizes sobre intercâmbios e combinações planetárias

É importante observar que os aspectos entre os três planetas exteriores, em si mesmos e quando isolados de outros fatores primordiais do mapa, não devem ser considerados um fator maior da interpretação. Urano, Netuno e Plutão transmitem uma mensagem transpessoal e esclarecem alguns aspectos da psicologia de massas de toda uma geração, já que permanecem num mesmo signo por muitos anos. Com muita frequência, os principiantes em astrologia ficam muito preocupados, por exemplo, com uma quadratura entre Urano e Netuno, e descobrem, quando já são mais experientes, que *todas as pessoas* nascidas num intervalo de alguns anos têm esse mesmo aspecto em seus mapas natais! Esse é mais um exemplo da necessidade de os principiantes em astrologia se concentrarem nos fundamentos e aprenderem a distinguir, desde o começo, as facetas primordiais dos inúmeros fatores secundários de qualquer mapa.

Entretanto, caso a pessoa tenha, por exemplo, Netuno em conjunção com Saturno, ambos formando um aspecto de quadratura (ou um ângulo de 90°) com o Sol, *o conjunto dessa configuração* — combinando as energias do Sol, de Saturno e de Netuno — deve receber atenção considerável.

Neste livro, a fim de continuar colocando em evidência as facetas primordiais e confiáveis do mapa, só vou dar diretrizes sobre os aspectos que são absolutamente *essenciais* e invariavelmente importantes para todo o mundo — ou seja, apenas os que envolvem os cinco planetas pessoais, Júpiter, Saturno e o ascendente. Como acabei de dizer, os outros planetas, relativamente, não têm importância no nível pessoal, exceto na medida em que estão interligados aos posicionamentos, estruturas e temas maiores do mapa.*

Esta seção apresenta diretrizes sucintas para interpretar os aspectos, com base nos princípios planetários envolvidos. A capacidade de combinar corretamente essas energias se desenvolve com o tempo e o aumento da experiência. Deve-se enfatizar, também, que a compreensão profunda se desenvolve muito mais rapidamente por meio de diálogos diretos do que com o mero aprendizado por livros, ou através de "leituras" especulativas sobre pessoas que você nunca viu. Como fizemos com as outras seções deste livro, as frases-chave aqui apresentadas propõem-se a estimular a compreensão dos fatores básicos e a incitar a reflexão independente quando os princípios envolvidos forem aplicados a circunstâncias reais das pessoas. Esta é uma das razões (junto com a tendência a enquadrar muito rigidamente os aspectos nas categorias de "bom" e "mau") por que os intercâmbios planetários (ou "combinações" de suas energias) que se seguem não fazem distinção, em geral, entre aspectos desafiadores e harmônicos. O que importa, sobretudo, é entender como funciona em conjunto um determinado par de planetas, e não há como negar que as manifestações negativas de um dado intercâmbio evidenciam-se frequentemente em pessoas cujos planetas estão em relacionamento harmônico ou fluente entre si.

Ocasionalmente, nas diretrizes que se seguem, faço menção a algumas diferenças frequentemente observadas entre os intercâmbios harmônicos e desafiadores de um determinado par de planetas, mas faço isso principalmente nos casos em que cheguei à conclusão de que essas são comparações geralmente confiáveis. Também incluí, ocasio-

---

* Até os aspectos envolvendo Júpiter ou Saturno e algum dos três planetas exteriores não devem receber nenhuma grande ênfase especial, se estiverem isolados dos fatores maiores do mapa. Entretanto, se um signo regido por Júpiter ou Saturno estiver fortemente enfatizado no mapa, todos os aspectos envolvendo Júpiter e Saturno crescem em importância.

nalmente, alguns comentários particularmente úteis para ajudar a resumir o significado geral de um certo tipo de aspecto ou de certos grupos de aspectos. Considero muitos desses comentários extremamente proveitosos para quem ensina astrologia. Quero também assinalar o quanto as palestras de Frances Sakoian me ajudaram a aprender a distinguir entre todos os diferentes tipos de aspectos. Essas palestras foram feitas há cerca de 20 anos, mas como até hoje vejo tantas referências ao que ela disse em minhas observações e anotações, provavelmente algumas das frases das seções seguintes são quase citações diretas das palestras dela. Minhas próprias observações e anotações, a esta altura, estão de tal modo entrelaçadas com citações dela e de outros astrólogos que é impossível fazer referências específicas e dar o devido crédito às várias ideias que aprendi com os outros.

Aspectos com o Sol

Os aspectos com o Sol causam forte impacto sobre a vitalidade física, a desenvoltura da autoexpressão, sobre o que incita a criatividade da pessoa, com o que se identifica, e com que grau de facilidade o ego se satisfaz. Qualquer planeta em conjunção com o Sol simboliza algo essencial a respeito da identidade da pessoa como um todo. Em geral, os planetas em relação harmônica com o Sol estimulam a sensação de bem-estar, enquanto os aspectos desafiadores com o Sol revelam um obstáculo — que a pessoa precisa superar ou ao qual precisa se adaptar — para atingir essa sensação de bem-estar.

Intercâmbios Sol-Lua:
☉ A energia criativa interage com o impulso de segurança emocional;
☽ necessidade de expressar criativamente a própria individualidade, com tranquilidade e confiança
Como a própria autoimagem combina-se com a vitalidade e a necessidade de autoexpressão

(Todos os aspectos Sol-Lua são de extraordinária importância. Eles causam um enorme impacto sobre o senso de identidade, a saúde e a confiança. Os intercâmbios harmônicos mostram que os sentimentos reforçam a expressão do melhor lado da pessoa, e de seus propósitos e objetivos mais básicos. Os aspectos mais desafiadores mostram, muitas vezes, que os sentimentos instintivos e a autoimagem inibem a expressão livre do eu criativo; com a quadratura e a oposição principalmente, muitas vezes a pessoa tem dificuldade em sentir-se contente consigo mesma, sendo a tensão interior na estrutura básica da personalidade, aparentemente, uma faceta permanente da psique.)

Intercâmbios Sol-Mercúrio — só são possíveis a conjunção e o semissextil:*
☉ A comunicação é vivaz, intensa, brilhante — às vezes falta senso de perspectiva aos pensamentos
☿ A necessidade de estabelecer contatos com os outros soma-se à energia criativa — frequentemente verifica-se inteligência instintiva e pendor criativo

Intercâmbios Sol-Vênus — só são possíveis a conjunção, o semissextil e a semiquadratura:
☉ O impulso do prazer funde-se com o impulso de ser e criar — muitas vezes pendor artístico
♀ O senso de individualidade intensifica-se quando há intercâmbio de energia com os outros — frequentemente acentuada gentileza ou ternura

Intercâmbios Sol-Marte:
☉ A energia criativa vital se inflama pelo desejo, e o desejo é constantemente energizado pelo poder da identidade como um todo
♂ A energia física mistura-se ao eu essencial, gerando intenso dinamismo e necessidade de agir
(Todos os aspectos Sol-Marte tendem a dar um grande impulso à força vital e revelam um ímpeto agressivo de se expressar e se provar. A pessoa deseja gratificar consideravelmente o seu ego, sendo por isso, às vezes, ar-

---

* Devo dizer, aqui, que constatei que a antiga ideia de um planeta estar "combusto" (isto é, arruinando quando conjunto ao Sol) não tem a menor validade. É muito frequente, por exemplo, quem tem Mercúrio conjunto ao Sol ser extremamente inteligente.

rogante. É provável que haja capacidade de liderança, bem como vontade corajosa de desbravar novas áreas de realização e de ação criativa.)

Intercâmbios Sol-Júpiter:

☉ A necessidade de ser reconhecido interage com o impulso de ultrapassar o eu, a fim de unir-se a algo maior que o eu
♃ O senso de individualidade incorpora fé e abertura à benevolência
(Todos os aspectos Sol-Júpiter mostram grande necessidade de gratificar o ego fazendo alguma coisa grandiosa, alguma coisa que chame a atenção dos outros. É uma combinação muito comum nas pessoas envolvidas com espetáculos, *altos* negócios etc.)

Intercâmbios Sol-Saturno:

☉ O impulso de ser e criar combina-se com a necessidade de estabilidade; essa tendência frequentemente traz problemas para a autoconfiança e para a sensação de bem-estar
♄ A necessidade pessoal de segurança e certeza matiza o tom do ser essencial, fazendo com que a pessoa pareça mais velha que seus contemporâneos, mesmo quando jovem
(Saturno, frequentemente, é exigente com o Sol, mesmo quando o aspecto é um trígono ou um sextil. A pessoa tem aguda percepção de suas limitações e deficiências, a ponto de, em muitos casos, exagerá-las e até cair em excesso de autocondenação ou autoinibição. A expressão da criatividade (e do amor) pode ser bloqueada devido à defensividade e a sentimentos de inadequação e desmerecimento. A única área na qual essas pessoas *não são* práticas é na compreensão de si mesmas e no escopo de expressão de que precisam! Somente a experiência e o tempo podem resolver esses aspectos, pois a pessoa pode aprender qual é seu verdadeiro valor através de resultados palpáveis e da responsabilidade.)

Intercâmbios Sol-Urano:

☉ O eu interior irradiante combina-se com o impulso de mudança, agitação, experimentação e rebeldia; essa liberdade alimenta a vitalidade
⛢ O senso de individualidade incorpora originalidade e inventiva — muitas vezes há muita criatividade e inconvencionalismo
(A inconvencionalidade impregna todos os que têm aspecto entre esses planetas, e na verdade um obstinado egocentrismo é comum a muitos deles. Embora muitas vezes se trate de pessoas interessantes, animadas e estimu-

lantes, frequentemente sentem que são mal interpretadas, ou que os outros nunca as compreendem. Em geral isso é verdade, em parte porque são pessoas totalmente imprevisíveis. Costumam assumir corajosamente suas convicções invulgares, e no melhor dos casos denotam uma espécie de louca sinceridade e honestidade que causa espanto, mas também inspira respeito. Sua aversão pela monotonia muitas vezes leva-as a manifestar o que Carl Payne Tobey chamou de "espírito vagabundo", desejando a mudança pela mudança e desdenhando o que a maioria das pessoas gostaria de conservar.)

Intercâmbios Sol-Netuno:

Identidade e a consciência básica incorporam o impulso de transcender o mundo material por meio da imaginação, do idealismo ou de atividades espirituais

A percepção pessoal da dimensão espiritual da experiência matiza o modo de autoexpressão, mas também pode gerar confusão sobre o próprio senso de identidade

(As pessoas com essa combinação precisam desesperadamente de uma resposta honesta dos outros para ter uma noção realista e clara de quem são. Sua tendência é subestimar ou sobrestimar sua capacidade e seu valor pessoal.)

Intercâmbios Sol-Plutão:

A percepção da vida é impregnada por um forte impulso de profundidade da experiência e renascimento total

O eu interior dirige a força de vontade para a reforma e a transformação — de si mesmo ou do mundo exterior

(Invariavelmente, as pessoas com aspecto reduzido entre Plutão e o Sol têm muito mais profundidade de visão, seriedade pessoal e percepção do lado mais sombrio ou mais áspero da vida do que pode indicar o restante do seu mapa. Elas também são dotadas de enorme persistência e meticulosidade, e às vezes surpreendem os outros, já que essas características podem não ser totalmente evidentes.)

Intercâmbios Sol-ascendente:

O desafio de quanto do verdadeiro eu deve ser expresso externamente é um problema central de toda a vida

Os impulsos criativos e a necessidade de se expressar livremente estimulam a ação e exercem uma influência que os outros não podem ignorar.

Aspectos com a Lua

Os aspectos com a Lua, além de mostrarem até que ponto a pessoa tem uma autoimagem positiva e correta, confiança e segurança interiores, também indicam como ela é capaz de expressar e usar seus sentimentos mais profundos e sua imaginação criativa. Suas reações imediatas às experiências de vida são proveitosas e de apoio ou são inadequadas e confusas? O que estimula a tranquilidade emocional — ou interfere com ela — é revelado com nitidez pelos aspectos lunares. Toda a maneira como a pessoa *reage* e adapta-se às oscilações da vida é simbolizada pela Lua e seus aspectos. Talvez mais do que aconteça com qualquer outro planeta, os aspectos mais desafiadores com a Lua tendem realmente a gerar resultados problemáticos com relativa previsibilidade; os aspectos harmônicos da Lua tendem a ser uma indicação confiável das manifestações lunares mais positivas, agradáveis e confortadoras.

Isto não é o mesmo que dizer que a pessoa não pode se adaptar ao fato de ter aspectos lunares dinâmicos no mapa; na realidade, ela pode aprimorar sua objetividade. Os aspectos desafiadores mostram que a pessoa precisará *trabalhar*, entretanto, para conquistar o tipo de objetividade que acompanha naturalmente os aspectos lunares harmônicos. A Lua, na verdade, é a chave da *objetividade sobre si mesmo*. Uma Lua harmonicamente aspectada, num signo onde está à vontade, é, por natureza, objetiva a seu próprio respeito e, por conseguinte, muitas vezes sua autoimagem é razoavelmente correta. Porém, quando a Lua tem aspectos tensionantes, a tendência é levar tudo para o lado pessoal, perdendo a imparcialidade sobre si mesma. Por isso, num caso desses, a pessoa não consegue se adaptar facilmente à mudança nas circunstâncias, e a autoimagem muitas vezes é bastante incorreta nas áreas indicadas pelos planetas, signos e casas envolvidos.

Além disso, quando a Lua faz *conjunção* com outro planeta, em geral há considerável falta de consciência e objetividade sobre a dimensão de experiência desse planeta. Isto não significa que todas as conjunções com a Lua devam ser consideradas desafiadoras, mas significa, isto sim, que o que quer que esteja indicado pela junção vem de maneira inconsciente e automática. Às vezes isso é, de fato, uma bênção que ajuda a pessoa a seguir pela vida. Quem não iria querer nascer com Júpiter ou Vênus em conjunção com a Lua?

Uma diretriz para entender todos os aspectos lunares mais dinâmicos é o seguinte conceito de Robert C. Jansky: A Lua, em aspectos desafiadores com o Sol, com Mercúrio ou com Vênus mostra uma sensação de incapacidade de expressar o que a pessoa sente. Por outro lado, a Lua, em aspectos desafiadores com qualquer outro planeta, revela um senso de inadequação para lidar com as exigências da vida.

Intercâmbios Lua-Mercúrio:

☽ As emoções e a mente interagem continuamente, e estimulam opiniões sustentadas com fervor
☿ A compreensão racional combina-se ou choca-se com a sensação de integridade emocional e com a predisposição subjetiva

Intercâmbios Lua-Vênus:

☽ A capacidade de interagir com os outros, dando ou recebendo, é facilitada ou prejudicada pela capacidade de adaptação espontânea; é possível que a pessoa seja sensível ou demasiadamente sensível aos outros
♀ Reações intensas aos prazeres sensuais e a todas as interações sociais

Intercâmbios Lua-Marte:

☽ As intensas reações emocionais combinam-se com ímpeto e ambição, gerando uma vontade forte e instintiva de agir
♂ A necessidade desassossegada de realizar seus desejos depende do senso de integridade pessoal e afeta-o fortemente

Intercâmbios Lua-Júpiter:

☽ Grande receptividade à ligação com uma ordem maior, a ultrapassar o eu — muita tolerância com o comportamento mas nem sempre com as
♃ ideias dos outros

Predisposição subconsciente para a expansão otimista e reações emocionais entusiásticas
(Esses aspectos, embora geralmente muito "para cima", cheios de ânimo e generosos, podem aumentar a preocupação com a autoimagem transformando-a em vaidade e/ou extremo acanhamento. Essas pessoas às vezes se preocupam demais com a impressão que causam nos outros, estando presente muitas vezes a tendência a reagir com exagero, de maneira emotiva e pessoal, a assuntos menores. É comum a falta de moderação no modo de vestir, nos gastos, nos hábitos.)

Intercâmbios Lua-Saturno:

O impulso doméstico combina-se com a necessidade de segurança por meio de realizações palpáveis e aceitação de responsabilidade
Necessidade constante de se esforçar disciplinadamente a fim de sentir-se pessoalmente íntegro, o que muitas vezes resulta na contenção da expressão emocional
(A tendência à defensividade e a falta de autoconfiança são, com muita frequência, características acentuadas nessas pessoas. Mesmo quando não estão sendo criticadas, muitas vezes acreditam que sim e, dessa forma, não são receptivas ao *feedback* positivo a seu respeito. O ambiente da infância, principalmente no caso dos aspectos desafiadores, muitas vezes terá sido opressor, solitário ou pesado sob algum outro aspecto.)

Intercâmbios Lua-Urano:

As reações têm sempre um toque de originalidade e imprevisibilidade
A necessidade de se expressar sem restrições incentiva ou prejudica a sensação de apoio interior, segurança e tranquilidade [Esses aspectos se manifestam de algumas maneiras muito inusitadas e às vezes dramáticas. Existe uma vontade torturante de mudar radicalmente a própria identidade, e de livrar-se de qualquer empecilho ou condicionamento do passado. O impulso para deixar o passado para trás pode ser tão forte que a pessoa muda de nome, simbolizando seu desejo de deixar para trás a velha autoimagem. Essas pessoas geralmente têm dificuldade em ser felizes no presente, pois têm sempre uma forte ciência do impacto do passado (a Lua) e do futuro (Urano). Muitas vezes existe um profundo desassossego, já que elas geralmente só se sentem à vontade quando estão vivendo intensa excitação — o que, naturalmente, pode esgotar o corpo e a mente!]

Intercâmbios Lua-Netuno:

☽ O impulso de furtar-se às limitações do mundo físico impregna as respostas emocionais; pode haver grande devoção a um ideal
♆ A autoimagem combina-se com a tentativa de perceber a dimensão espiritual da experiência; a sensação de segurança só vem quando os ideais entram em foco

Intercâmbios Lua-Plutão:

☽ Respostas profundas e intensas; a segurança emocional está ligada à transformação completa e ao renascimento interior. O contentamento íntimo
♇ vem com a aceitação da necessidade de direcionar as emoções e a força de vontade para dar nova forma aos padrões de reação e eliminar antigos sentimentos e imagens

[Pode-se fazer um estudo muito interessante com base nesses aspectos, em especial os desafiadores, com relação às atitudes e emoções da pessoa com respeito aos pais e à paternidade. Tenho visto um grande número de pessoas com a Lua em conjunção ou em oposição a Plutão com uma compulsão para tomar conta dos outros, o que, contudo, as perturba e muitas vezes lhes inspira um profundo medo. Em muitos casos, a paternidade é completamente rejeitada por opção (homens e mulheres), mesmo quando a pessoa está bem casada. Às vezes existe uma necessidade compulsiva de segurança, mas também um profundo medo da dependência e da perda. Às vezes existe uma sensação de rejeição por um dos genitores (em geral a mãe) nos primeiros estágios da vida.]

Intercâmbios Lua-ascendente:

☽ As intuições perceptivas matizam a abordagem da vida, e a grande sensibilidade ao meio afeta grandemente o estado de espírito
O modo de autoexpressão no mundo exterior é afetado por necessidades emocionais e de segurança, e as predisposições subconscientes precisam ser expressas externamente

Aspectos com Mercúrio

Os aspectos com Mercúrio são um bom indicador, não tanto do grau de inteligência da pessoa (como alguns astrólogos e livros de astrologia gostariam que acreditássemos), mas sim da capacidade pessoal de expressão e comunicação. Afinal de contas, existem pessoas muito inteligentes e caladas que podem não ter um Mercúrio particularmente energizado. Os aspectos com Mercúrio mostram como a mente consciente se sintoniza e como a pessoa expressa e comunica o fluxo de pensamentos. Mercúrio também é importante como significador da capacidade de *coordenar* todas as funções mentais e físicas, e acredita-se que corresponda ao sistema nervoso em geral. Um estudo com muitos atletas profissionais mostrou-me que aspectos fortes com Mercúrio (principalmente conjunções) são muito comuns, entretanto, essas pessoas não são de forma alguma intelectuais! Entretanto, sua coordenação corpo/mente é excepcional.

Intercâmbios Mercúrio-Vênus:

☿ O impulso para expressar a inteligência é intensificado pela capacidade de trocar ideias com os outros e entendê-los
♀ Tenta sentir-se próximo aos outros pela boa comunicação e pelos intercâmbios agradáveis — um intelecto harmônico lutando pelo equilíbrio

Intercâmbios Mercúrio-Marte:

☿ A mente consciente combina-se com a energia física (possivelmente uma boa coordenação mão-olho), estimulando fortemente os dois — um intelecto energizado
♂ A necessidade de agir decisivamente ajuda a dar foco ao processo de aprendizado e a toda a comunicação

Intercâmbios Mercúrio-Júpiter:

☿ O modo de comunicação e a forma de pensar são profundamente matizados pela noção de amplitude, expansão e otimismo — um intelecto filosófico, de interesses amplos, com curiosidade exuberante
♃ Precisa explorar muitos assuntos e estabelecer ligações com os outros baseadas em confiança, fé comum no futuro e afinidade filosófica

Intercâmbios Mercúrio-Saturno:

☿ A objetividade e a clareza de expressão incorporam disciplina e uma abordagem cautelosa e sistemática; muitas vezes, boa memória
♄ A mente consciente se estabiliza pelo senso prático de ordem e pelo conhecimento da tradição — um intelecto persistente e escrupuloso

Intercâmbios Mercúrio-Urano:
A independência e a originalidade combinam-se com a capacidade mental e verbal — mente rápida que muitas vezes ignora os detalhes e radicaliza
O intelecto, inventivo e tensionado, faz associações novas e invulgares entre as ideias; impaciente com a lentidão mental dos outros e com a educação formal

Intercâmbios Mercúrio-Netuno:
Os processos mentais se voltam para temas universais e explorações imaginativas
A necessidade de expressar as próprias percepções e a inteligência são norteadas pelo idealismo — intelecto altamente sensibilizado e sutil

Intercâmbios Mercúrio-Plutão:
O impulso para ir até o âmago das experiências está por trás da comunicação — intelecto intensificado, extremamente direcionado
Necessidade de aprender por meio de experiências intensas, transformadoras, profundas, mesmo que isso signifique quebrar tabus

Intercâmbios Mercúrio-ascendente:
A habilidade, a destreza e as qualidades intelectuais precisam de expressão externa em muitas áreas da vida
Conversar, fazer contatos, tentar entender, fazem parte integrante do modo de autoexpressão e de toda a abordagem à vida

Aspectos com Vênus

Os aspectos com Vênus afetam primordialmente a capacidade de manter relacionamentos conscientes com os outros, no nível dos relacionamentos íntimos, pessoa a pessoa, e no nível das relações sociais mais gerais, como também a facilidade com que a pessoa se sente emocionalmente preenchida com essas experiências. Além disso, os aspectos de Vênus revelam muita coisa sobre o grau de facilidade em expressar o prazer e em satisfazer a necessidade de prazer. Todas as artes também são regidas por Vênus, bem como vários tipos de preferências e conduta pessoal. O grau de facilidade em dar ou receber afeto é mostrado claramente pelos aspectos de Vênus: os aspectos mais harmônicos indicam canais abertos para dar e receber, conforme indicado pelos planetas, signos e casas envolvidos.

Entretanto, deve-se deixar bem claro que as quadraturas, oposições e vários outros aspectos desafiadores com Vênus não significam necessariamente que a pessoa não é amada ou que é incapaz de amar. Esta é uma interpretação equivocada desses intercâmbios. Entretanto, os ângulos mais dinâmicos envolvendo Vênus em geral revelam, de fato, que a pessoa habitualmente bloqueia a expressão do amor e abstém-se de receber amor dos outros. O esforço para aclarar esses bloqueios e medos e melhorar o fluxo de energia naquela área pode contribuir substancialmente para aumentar o prazer e a felicidade.

Intercâmbios Vênus-Marte:

♀ O afeto é expresso física e dinamicamente; às vezes o erotismo é intenso
♂ A necessidade de sentir prazer e harmonia combina-se com o desejo de agir — muitas vezes são pessoas com bastante pendor artístico; capacidade de combinar força e graça, principalmente em atividades físicas como o atletismo

(A interação entre Vênus e Marte tem um impacto importante nos nossos relacionamentos amorosos. Os aspectos harmônicos entre eles ajudam a expressão de cada uma das energias, enquanto os aspectos desafiantes, apesar de talvez simbolizarem maior intensidade emocional e passional, em muitos casos são mais problemáticos. Muitas vezes, com os aspectos desafiadores, a pessoa pode ser impaciente, irritadiça e inconstante com aqueles de quem gosta. Nesses casos, o modo de dar "afeto" e demonstrar "interesse" é tão abrupto e impositivo que, aos olhos do outro, não se trata, absolutamente, nem de amor nem de afeto! Mesmo quando não há um aspecto maior entre Vênus e Marte, é proveitoso e altamente esclarecedor comparar sua compatibilidade relativa por elemento.)

Intercâmbios Vênus-Júpiter:

♀ O amor é expresso de forma aberta, generosa e expansiva; muitas vezes o senso de beleza predomina na personalidade

♃ O gosto pela aventura e a preocupação com o próprio progresso matizam a maneira de encarar os relacionamentos; pode haver excessiva sensualidade e imoderação em relação a dinheiro ou à expressão das emoções

Intercâmbios Vênus-Saturno:

♀ A pessoa tem mais facilidade em expressar amor quando se sente muito segura e estável — a lealdade dá constância aos afetos; possibilidade de exprimir o amor com muita profundidade se a pessoa conseguir libertar-

♄ -se do medo

Necessidade de se sentir ligado ao outro pelo esforço compartilhado, pela aceitação de responsabilidades e compromissos recíprocos; hesita em expressar o afeto, a menos que haja garantias, e essa abordagem avessa ao risco pode levar a uma vida social um tanto melancólica

Intercâmbios Vênus-Urano:

♀ Sente necessidade de compartilhar com os outros seu senso de individualidade, excitação e liberdade — eletriza os afetos; pode ser insensível e autocentrado

⊙ Precisa fazer experiências com uma série de prazeres diferentes e singulares para se sentir completamente satisfeito — pode ser paquerador; cansa-se facilmente dos relacionamentos e tem aversão à possessividade (Quando o planeta do relacionamento (Vênus) combina-se com o planeta da rebeldia egocêntrica e da independência (Urano), podem surgir problemas. Ver a página 121 de *Astrology, karma & transformation* onde há muito mais detalhes sobre esses aspectos, muitas vezes desorientadores e desafiadores.)

Intercâmbios Vênus-Netuno:

♀ Anseia pelo amor ideal; vive num sonho de contentamento romântico, artístico ou espiritual; temores nebulosos ou escapismo podem inibir a

♆ relação verdadeira

Precisa expressar os afetos a fim de sentir união com a vida, fusão completa com o todo — apura e sensibiliza os afetos

Intercâmbios Vênus-Plutão:

♀ Necessidade de dar suas emoções mais profundas, ao mesmo tempo que a pessoa passa por uma transformação cabal e desafia os tabus sociais
♇ Os afetos e preferências são matizados pela vontade de ir até o âmago da experiência — sentimentos intensos, extremados

Intercâmbios Vênus-ascendente:

♀ Os envolvimentos sociais e amorosos da pessoa afetam toda a sua maneira de encarar a vida
Senso artístico e gosto apurado fazem parte integrante do modo de autoexpressão

Aspectos com Marte

Qualquer aspecto envolvendo Marte informa alguma coisa sobre poder, energia física e sexual, ação decisiva, capacidade de liderança, coragem pioneira de desbravar novas áreas de experiência, e áreas da vida onde a pessoa pode mostrar sua iniciativa. É sempre difícil ser paciente nas áreas em que Marte está ativo: contudo, neste mundo físico, em geral é preciso ter paciência para obter os melhores resultados dos atos impulsivos e iniciadores de Marte.

Intercâmbios Marte-Júpiter:

♂ Necessidade expansionista de excitação física, sexual ou pioneira, senso de aventura na ação e na realização
♃ O desejo e a iniciativa voltam-se para o desenvolvimento do eu e para alvos amplos e inspiradores com vistas a melhorar a vida dos outros (muitas vezes a pessoa exerce liderança em seu campo)

Intercâmbios Marte-Saturno:

♂ A expressão das energias positivas e instintivas precisa ser estruturada e disciplinada; a paciência ajuda a atingir as metas
♄ A pessoa direciona a energia física, sexual e a capacidade de liderança para metas trabalhosas e realizações concretas

Intercâmbios Marte-Urano:

♂ ⛢ A pessoa se afirma impacientemente, com originalidade e independência — muitas vezes é muito rebelde; energizada pela sensação de liberdade

Forte necessidade de excitação física e sexual sem entraves; quer sempre ação nova e excitante em todas as esferas da vida

Intercâmbios Marte-Netuno:

♂ ♆ Tem a capacidade de agir sobre os ideais e sonhos e concretizar uma visão longínqua; os elevados ideais estimulam a realização

Sente necessidade de transcender o mundo físico e os desejos sexuais, acompanhada por um fluxo constante de fantasias cheias de vida e, muitas vezes, talentos especiais que podem parecer "supranaturais"

Intercâmbios Marte-Plutão:

♂ ♇ Impulso para transformar situações e eliminar empecilhos por meio de atos decisivos (às vezes impiedosos)

A força de vontade é voltada conscientemente para a transmutação total, a reforma, o uso do poder concentrado; deseja penetrar no âmago da experiência

Intercâmbios Marte-ascendente:

♂ Os impulsos autoafirmativos, pioneiros e agressivos precisam de expressão externa

As energias físicas, sexuais e a capacidade de liderança fazem parte integrante do modo de autoexpressão

Aspectos com Júpiter

Qualquer aspecto envolvendo Júpiter merece ser examinado, pois Júpiter amplia tudo o que toca. Júpiter pode mostrar onde você tenta melhorar as coisas e desenvolvê-las plenamente, bem como expressar essas energias ao máximo, possivelmente num nível muito elevado. O expansionismo de Júpiter e seu otimismo difuso também podem, contudo, levar a pessoa a ultrapassar seus limites nas áreas indicadas por aspecto, signos e casas, caso ela não vigie regularmente suas ações procurando moderar-se. A generosidade, a atitude positiva e a abordagem aberta e filosófica muitas vezes mostradas por Júpiter podem, no melhor dos casos, conferir uma aura de nobreza e realização magistral às áreas de vida apoiadas pelas energias otimistas deste planeta.

Em geral, os aspectos de Júpiter envolvendo um dos cinco planetas pessoais ou o ascendente (ou o meio do céu) são os mais importantes para todas as pessoas. Entretanto, as interações de Júpiter com os outros planetas, cujas diretrizes damos abaixo, podem ter grande importância se Júpiter for regente (ou corregente) do ascendente, do signo do Sol, do signo da Lua ou se estiver, de alguma outra forma, intimamente associado aos principais temas de um mapa. Por conseguinte, se um desses três fatores maiores for Sagitário (ou Peixes, cuja regência Júpiter divide com Netuno), todos os aspectos de Júpiter assumem maior proeminência.

Intercâmbios Júpiter-Saturno:

♃ (Particularmente importantes se Júpiter ou Saturno regerem um signo enfatizado no seu mapa.)
♄ O impulso para buscar uma ordem maior é trazido à realidade e estabilizado — aumenta as ambições
A vontade de se expandir continuamente interage com a necessidade de conservar a estrutura atual, por razões de segurança
(Qual dos dois — Saturno ou Júpiter— é mais forte no mapa tem muito a ver com a expressão dessas energias. Os aspectos desafiadores entre Júpiter e Saturno às vezes são bastante problemáticos, na medida em que dificultam a capacidade pessoal de pôr em prática as ambições e metas de longo prazo. Enquanto a conjunção tende a ser relativamente harmônica e a estimular uma ambição forte e enfocada, os outros aspectos dinâmicos muitas vezes manifestam-se como uma arraigada sensação de que o trabalho, o dinheiro ou as oportunidades não são suficientes, até o ponto em que a pessoa ultrapassa seus limites e descobre que, na realidade, está sobrecarregada. Qualquer uma dessas sensações — ter menos ou ter demais — deixa a pessoa frustrada. É extremamente importante aprender a contentar-se em trabalhar com o que se tem no momento.)

Intercâmbios Júpiter-Urano:
♃ (Particularmente importantes se Júpiter ou Urano regerem um signo enfatizado no seu mapa.)
♅ A fé e os planos de larga escala para o futuro são eletrizados e expressos de forma individualista e inconvencional
A necessidade de mudar, de experimentar e de viver a excitação é expansionista e difusa

Intercâmbios Júpiter-Netuno:
♃ (Particularmente importantes se Júpiter ou Netuno regerem um signo enfatizado no seu mapa.)
♆ Necessidade difusa de se sentir unido a algo maior que o ser individual e os pequenos interesses pessoais
A pessoa acredita na realidade de um reino intangível de experiência, gerando algumas vezes uma imaginação fértil demais, vontade constante de fugir, ou uma sensação de inspiração significativa

Intercâmbios Júpiter-Plutão:
♃ (Particularmente importantes se Júpiter ou Plutão regerem um signo enfatizado no seu mapa.)
♇ A necessidade de vivenciar um renascimento total estimula a busca da fé numa ordem maior do universo
Procura progredir por meio da força de métodos e atividades transformadores

Intercâmbios Júpiter-ascendente:
♃ O expansionismo, a confiança, a largueza de vistas precisam ter expressão externa
A fé e o otimismo são parte integrante do modo de autoexpressão e matizam toda a maneira de encarar a vida

Aspectos com Saturno

Qualquer aspecto com Saturno mostra onde as energias estão concentradas e onde se adota um enfoque particularmente sério.

Os aspectos de Saturno revelam a facilidade com que a pessoa lida com seus limites: se usa o poder e a autoridade dentro de limites aceitáveis e através dos canais apropriados, ou se se sente limitada demais para se expressar livremente. Se a pessoa se limitar demais sem necessidade, é possível que precise reorientar sua forma de autodisciplina.

Em geral, os aspectos de Saturno envolvendo um dos cinco planetas pessoais ou o ascendente ou o meio do céu são os mais importantes para todas as pessoas.* Entretanto, as combinações de Saturno com os outros planetas podem ter grande importância se Saturno for regente ou corregente do ascendente, do signo do Sol, do signo da Lua ou se estiver, de alguma outra forma, intimamente ligado aos principais temas do mapa. Por conseguinte, se um desses três fatores maiores for Capricórnio (ou Aquário, cuja regência Saturno divide com Urano), todos os aspectos de Saturno assumem maior proeminência.

Intercâmbios Saturno-Urano:

♄
☉
(Particularmente importantes se Saturno ou Urano regerem um signo enfatizado no seu mapa.)

A pessoa tem necessidade de se empenhar para se expressar com originalidade e para dar uma forma prática às suas ideias novas e não convencionais

A necessidade de mudança e excitação combina-se com a necessidade de aprovação social — o que requer uma forma de trabalhar de acordo com alguma tradição (talvez uma reavaliação responsável e disciplinada da área indicada)

(Essas combinações podem ter profundo impacto sobre as atitudes gerais da pessoa. No melhor dos casos, geram uma combinação criativa de praticidade com ideias progressistas e novos métodos de realização. Se houver boa integração, a passagem do velho para o novo é sempre

---

* Ver nas páginas 76 e 79 de *Astrologia, karma e transformação* análises detalhadas de Saturno em aspecto com os planetas pessoais. Esse material pode ampliar as diretrizes básicas para esses aspectos nas seções deste capítulo.

difícil, pois a pessoa quer liberdade e excitação, mas não deixa o passado para trás.)

Intercâmbios Saturno-Netuno:

♄ (Particularmente importantes se Saturno ou Netuno regerem um signo enfatizado no seu mapa.)
♆ Esforço disciplinado em busca dos anseios e ideais espirituais; a contínua interação entre o natural e o sobrenatural pode resultar em confusão e falta de organização, ou na apreensão prática de realidades sutis
A pessoa sente o impulso de transcender a estrutura física rígida demais e suas limitações prosaicas; o idealismo pode impregnar as ambições e obrigações

Intercâmbios Saturno-Plutão:

♄ (Particularmente importantes se Saturno ou Plutão regerem um signo enfatizado no seu mapa.)
♇ Impulso para o renascimento total e a transformação, o que pode levar a um senso mais profundo de segurança interior; vontade de empenhar-se a sério para deixar para trás os fantasmas do passado
Necessidade irresistível de entender quais são suas verdadeiras prioridades, desejos e motivações num nível extremamente profundo — muitas vezes uma ambição de profunda intensidade

Intercâmbios Saturno-ascendente:

♄ As atitudes ambiciosas e responsáveis precisam ter expressão externa; toda a maneira de encarar a vida é matizada por um tom sério e prático; a energia disciplinada e a confiabilidade fazem parte integrante do modo de autoexpressão

Aspectos com o ascendente

Os aspectos de qualquer planeta com o ascendente invariavelmente têm grande importância, já que eles matizam toda a abordagem e a perspectiva de vida da pessoa.* É muito importante, contudo, considerar a probabilidade de exatidão do horário de nascimento antes de emitir qualquer opinião sobre esses aspectos. Uma diferença de cerca de quatro minutos no horário de nascimento pode alterar em um grau o ascendente (e as cúspides de todas as casas). Consequentemente, se houver um erro de trinta minutos no horário de nascimento, um aspecto aparentemente reduzido com o ascendente pode, na realidade, ter um desvio de mais de 7° do ângulo exato.

Entretanto, como o impacto de um planeta em aspecto reduzido com o ascendente realmente faz com que as qualidades desse planeta fiquem completamente mescladas à expressão da energia do signo em elevação, esses aspectos com o ascendente podem ser usados como indicadores bastante confiáveis da exatidão do horário de nascimento. Por exemplo, se um mapa baseado num horário específico de nascimento tem um planeta qualquer em conjunção reduzida com o ascendente, mas a energia desse planeta não é particularmente visível na personalidade, existe uma forte probabilidade de que o horário de nascimento (ou o fuso horário, ou o horário de verão usados para calcular o mapa) esteja errado.

Intercâmbios Urano-ascendente:
⛢ A independência e a singularidade precisam de expressão externa; a maneira de abordar a vida é naturalmente imprevisível e não convencional
A inventiva, o individualismo e um forte anseio pelo novo e excitante fazem parte integrante do modo de autoexpressão

Intercâmbios Netuno-ascendente:
♆ Compaixão, imaginação e/ou espiritualidade precisam de expressão externa e matizam toda a maneira de encarar a vida; tornam o corpo físico sensível a influências externas
Fantasias, sonhos e inspirações fazem parte integrante do modo de autoexpressão

* Para diretrizes adicionais para entender os aspectos com o ascendente, ver a seção correspondente no capítulo 6 deste livro.

Intercâmbios Plutão-ascendente:
♇ Intensidade, intensa reserva e visão perspicaz matizam toda a maneira de encarar a vida
As energias transformadoras e compulsivas fazem parte integrante do modo de autoexpressão — pujante força de vontade que não mede consequências

Aspectos com os planetas exteriores

Embora todos os aspectos importantes com os planetas exteriores já tenham sido mencionados neste capítulo, parece conveniente que um livro sobre diretrizes de interpretação, no mínimo, contenha um breve resumo de seus significados gerais. Para um tratamento muito mais pormenorizado do significado dos aspectos com os planetas exteriores, incluindo análises profundas do intercâmbio de cada planeta exterior com cada planeta pessoal, remeto o leitor aos capítulos 6 e 4 de *Astrologia, karma e transformação*.

Aspectos com Urano:
⛢ Urano eletriza e agiliza tudo o que toca. Induz à atividade intermitente e súbita e à mudança rápida. Em qualquer área da vida, incita à agitação e à quebra de regras e tradições. Confere certa instabilidade a tudo o que toca, bem como um forte desejo de excitação.

Aspectos com Netuno:
♆ Netuno apura e sensibiliza tudo o que toca. Pode idealizar, espiritualizar ou simplesmente enganar. Em qualquer área da vida, introduz um toque de magia, imaginação ou inspiração, quer a pessoa esteja ou não suficientemente enraizada no mundo prático para usar essas energias de forma eficaz e saudável.

Aspectos com Plutão:
♇ Plutão intensifica e energiza, pela força da vontade, tudo o que toca. Acrescenta profundidade, meticulosidade, e o impulso para eliminar todos os padrões, hábitos e atividades antigos e desnecessários. Confere a

capacidade de remodelar o eu pelo uso da vontade e do poder mental e, no melhor dos casos, demonstra muita autodisciplina e capacidade de fazer reformas por dentro e por fora. No pior dos casos, significa uma abordagem impiedosa, segundo a qual tem razão quem pode mais, e que pode tornar-se compulsiva na área indicada.

Causa e efeito

Publicado originalmente em abril de 1944. Extraído de *Astrology, science of prediction*, de Sidney K. Bennett, Wynn publishing Co., Los Angeles, CA, 1945.

9

Diretrizes sobre a síntese do mapa

> *A astrologia tem seu começo num longínquo senso de uma grande unidade cósmica.*
>
> Goethe

Falando realisticamente, não se pode chegar à *síntese* simplesmente pelas técnicas de *análise*, e, em última instância, não se pode ensinar a "síntese do mapa" porque a percepção direta da unidade e do significado de qualquer mapa natal só pode vir com a experiência e — até certo ponto — depende de uma capacidade intuitiva inata. Não obstante, existem algumas diretrizes que podem ser extremamente proveitosas para os estudantes de astrologia de nível básico e médio, e que raramente são mencionadas nos livros. Ter ciência dessas diretrizes-chave pode poupar aos alunos anos de andanças em becos sem saída, práticas fomentadoras de ansiedades e frustrante confusão.

Talvez seja ainda mais importante hoje do que foi há 10 ou 20 anos reconhecer e, na verdade, enfatizar a importância da visão holística do mapa natal — um enfoque baseado na visão de todos os componentes de um mapa como partes de um todo vivo. Os computadores, cada vez mais usados hoje em dia, não apenas para fazer cálculos astrológicos, mas também para pretensas "interpretações", levam muitas pessoas a supor, erradamente, que uma grande quantidade de componentes analíticos constitui uma "interpretação de mapa". Entretanto, fazer uma verdadeira síntese e chegar a uma visão holística do mapa é exatamente o que os computadores não podem fazer. É claro que a tentativa de atingir essa visão do mapa requer formas de sintetizar os vários fatores a interpretar. No entanto, o todo é maior do que suas partes; mesmo que os alunos de astrologia, inevitavelmente, precisem *começar* a abordar a síntese por meio da análise detalhada, o profissional experiente e capaz finalmente precisa chegar ao ponto em que a análise se transforma em conhecimento imediato, e esse conhecimento — iluminado pela interação com os fatos específicos da vida da pessoa — funde-se num todo sintetizado.

Atingir esse nível de habilidade é raro, e exige esforço considerável, embora algumas pessoas realmente "peguem" o jeito muito antes que outras. Chegar a esse tipo de visão holística do mapa é uma arte; muitas pessoas aprendem os fundamentos da ciência da astrologia, mas um número muito menor aprende essa arte. A síntese do mapa, simplesmente, não pode ser ensinada pelos livros. A verdadeira meta da síntese do mapa não é entender o mapa isolado, mas sim *a pessoa*, e isso implica entrar em sintonia com os temas de vida maiores dessa pessoa. O método básico para fazer a síntese é aprender a identificar esses temas maiores do mapa natal, que refletem os temas maiores da vida da pessoa. Vamos tratar, a seguir, da maneira de identificar esses temas.

Mesmo que, como acima, a verdadeira síntese do mapa não possa ser aprendida nos livros, foram publicados alguns que podem levar o leitor a uma abordagem holística, flexível e dinâmica da interpretação de mapas.* Em primeiro lugar, estão muitas das obras de Dane Rudhyar, um pioneiro da moderna abordagem da visão holística dos mapas natais. O livro de Charles Carter, *Essays on the foundations of astrology* (Theosophical Publishing House, Wheaton, IL), contém algumas joias raras sobre combinações de signos e sobre outros assuntos que contribuem para a síntese do mapa. *The art of chart interpretation* (CRCS Publications, Sebastopol, CA), de Tracy

---

* Sem dúvida existem outros livros, além dos aqui mencionados, que contêm material significativo sobre a síntese do mapa. Incentivo todos os alunos de astrologia a lerem o mais rápido que puderem e *testarem* as interpretacões de cada livro lido, a fim de determinarem até que ponto elas são exatas e reveladoras.

Marks, é um dos poucos livros que sistematicamente leva o leitor a percorrer etapas ordenadas com o objetivo final de sintetizar os grandes fatores do mapa e classificá-los em ordem de prioridade.

Além disso, meus outros livros avançam bastante na descrição de muitos fatores envolvidos na síntese do mapa. Como alguém amavelmente me escreveu, minhas descrições nesses livros são "permeadas por uma noção de síntese, uma noção de que *toda* energia interage de alguma forma com todas as outras". Especificamente, *Astrologia, psicologia e os quatro elementos* contém uma boa quantidade de material importante para avaliar o equilíbrio dos quatro elementos, procedimento que é fundamental para a síntese do mapa. Além disso, o capítulo 7 de *Júpiter e Saturno* (que em breve será reintitulado *New insights in modern astrology*) dedica-se exclusivamente à questão da síntese do mapa, bem como várias partes de meus outros livros. O capítulo 5 de *Astrologia — prática e profissão* explica alguns princípios importantes subjacentes à síntese do mapa. Também há uma boa quantidade de material importante disperso em meus livros* sobre questões de aconselhamento e do uso eficaz da astrologia. Grande parte desse material relaciona-se diretamente com a questão da síntese do mapa.

A estrutura e a sequência deste livro refletem a importância relativa, no meu entender, dos vários fatores do mapa, e até que ponto é possível usá-los e confiar em sua precisão. Por exemplo, a ênfase dada aos elementos no começo deste livro simplesmente reflete que eles devem, da mesma forma, ser enfatizados no começo da interpretação de qualquer mapa. Em seguida, a ênfase sobre as posições dos planetas nos signos reflete o fato de que as posições dos planetas

---

* Ver, nas seguintes obras, material específico sobre aconselhamento astrológico, maneira de abordar a interpretação de um mapa, questões astrológico--psicológicas etc.: capítulo 7 de *Astrologia, psicologia e os quatro elementos*; capítulo 12 de *Astrologia, karma e transformação*; capítulo 5 de *Relacionamentos e ciclos de vida*; parte do capítulo 4 de *Júpiter e Saturno* sobre a teoria psicológica em relação à astrologia; e várias partes de *Astrologia — prática e profissão*.

por signos são o segundo fator em importância em qualquer mapa. Cada planeta é fortemente "matizado" ou "tonalizado" pelo signo que ocupa, e esse signo invariavelmente dá um tom *maior* àquele planeta — na verdade, em geral é o tom dominante do planeta. Contudo, há outros fatores que tonalizam a expressão de um planeta em particular, conforme explicado abaixo.

Fatores que enfatizam cada princípio planetário

Cada planeta representa uma dimensão específica de experiência, e essa dimensão de experiência é acentuada ou matizada por uma infinidade de fatores. Em outras palavras, de que forma cada dimensão de experiência (mostrada pelos planetas) será enfatizada ou matizada na sua vida? Quando se começa a examinar todos os fatores que enfatizam a influência de cada planeta, é preciso levar em conta tantas coisas que, na verdade, despende-se considerável energia psíquica para começar a *senti-los* de uma só vez. A mente analítica é simplesmente incapaz de lidar ao mesmo tempo com essa diversidade e quantidade de variáveis, cada uma delas tendo um efeito num grau levemente diferente.

Todos os fatores abaixo afetam um planeta em particular, constituindo, portanto, tonalidades ou matizes de uma determinada dimensão de experiência:

1) O signo do planeta. Esta é a onda fundamental de energia e sintonização do planeta num dado mapa, e é emblemática do modo predominante de expressão daquele princípio planetário. Os outros modulam essa sintonia básica.

2) O subtom do planeta. Trata-se do signo em que está colocado o dispositor do planeta, usando somente os regentes antigos (por ex., uma pessoa com a Lua em Virgem e Mercúrio em Sagitário é uma pessoa com uma Lua em Virgem com um subtom sagitariano).

3) Os aspectos *reduzidos* do planeta. Os aspectos maiores, inclusive todos os ângulos múltiplos de 30°, matizam visivelmente a expressão de um planeta.

4) A posição do planeta por casa. Por exemplo, ter Vênus na 3ª casa é semelhante a ter Mercúrio em aspecto com Vênus, ou seja, é acrescentado um tom mercuriano à sintonia básica de Vênus.

Poderíamos continuar enumerando vários fatores menores, mas isso complicaria desnecessariamente um quadro já muito complexo. No fim, a pessoa acabaria com todos os planetas influenciados ou "acentuados" por todos os outros fatores astrológicos! Num determinado nível profundo de unidade e totalidade, é claro que isso é verdadeiro. Entretanto, para a finalidade prática da síntese do mapa, a fim de entender melhor as qualidades, as energias, as capacidades e os problemas específicos de uma pessoa, é preciso definir as limitações e as diretrizes do enfoque. É preciso pôr em evidência os fatores maiores confiáveis, principalmente os que se repetem.

Como exemplo, vamos considerar um mapa específico e enfocar um único planeta. A Lua em Sagitário dá um tom predominantemente sagitariano à maneira como essa pessoa *reage* a todo tipo de coisas e situações. O princípio da Lua é *reação* — como você reage, instintiva e espontaneamente, a qualquer coisa? Independentemente de que outros fatores possam enfatizar a Lua dessa pessoa, sempre haverá alguma coisa dessa qualidade sagitariana na sua maneira de reagir às exigências da vida: franqueza, espírito de defesa, largueza de vistas, entusiasmo, tolerância, necessidade de ligar os pequenos acontecimentos da vida a questões maiores, vontade de ensinar ou dar conselhos, e assim por diante. Por conseguinte, a posição da Lua por signo é o tom predominante, mas vamos também analisar sucintamente os outros fatores que acabamos de mencionar.

O subtom da Lua: O subtom da Lua é Virgem, pois Júpiter, o planeta regente de Sagitário, está em Virgem. Assim, esta é uma Lua sagitariana particularmente analítica. Júpiter em Virgem analisa e tenta decifrar a razão do otimismo tão injustificado da parte lunar do eu — pois Virgem sempre é capaz de descobrir um grande número de problemas! Afinal, Virgem faz quadratura com Sagitário. Quando esses dois signos estão fortemente energizados, o resultado é uma pessoa muito intelectual. Assim, é acrescido um tom virginiano à Lua sagitariana dessa pessoa.

Aspectos com a Lua: primeiro, e isso é muito importante, o Sol em Peixes faz uma quadratura exata com a Lua. A sensibilidade de Peixes está sempre "enfatizando" ou matizando a Lua sagitariana, mais enérgica e relativamente insensível, e ao mesmo tempo as qualidades entusiásticas e otimistas da Lua estão constantemente matizando a expressão do Sol em Peixes, em geral cauteloso e introvertido. Marte em Aquário, em sextil reduzido com a Lua, acrescenta outro matiz de experimentação e senso de aventura à Lua sagitariana, estimulando mais ainda a vontade de viajar, o gosto pela mudança e pela agitação. Essa orientação amplia-se ainda mais devido ao aspecto reduzido entre Urano e a Lua, outro indicador de que essa pessoa se sente à vontade, principalmente quando está num contexto de variedade, viagem, aprendizado, agitação e mudança de qualquer espécie. (Não se esqueça de que tanto o Sol como a Lua estão em signos mutáveis, e os dois, portanto, anseiam por mudanças e têm uma flexibilidade incomum para adaptar-se às mudanças.)

Essas várias tonalidades que afetam a Lua estão, até aqui, somando-se para dar uma única mensagem, relativamente clara e muito forte. Entretanto, quando se considera a posição da Lua por casa, entra em cena um pouco de complexidade. A Lua está na 2ª casa, posicionando onde em geral se sente à vontade. (A Lua tem sua exaltação tradicional em Touro, o Signo associado à 2ª casa.) Entretanto, quando a pessoa tem essa tonalidade de 2ª casa — estabilidade, relutância em mudar, apego aos prazeres da rotina e teimosia — acrescentada a uma Lua que, por outro lado, é exatamente o oposto dessas qualidades, o conselheiro astrólogo tem questões substanciais e qualidade complexas em abundância para discutir com o cliente. (Antes de terminar com este assunto, quero dizer que a pessoa a que se refere este mapa em geral tem vivido de ensino, inclusive viajando e organizando simpósios e seminários. Aliás, essa pessoa passou muito tempo no exterior, o que está perfeitamente simbolizado pela Lua sagitariana na 2ª casa!)

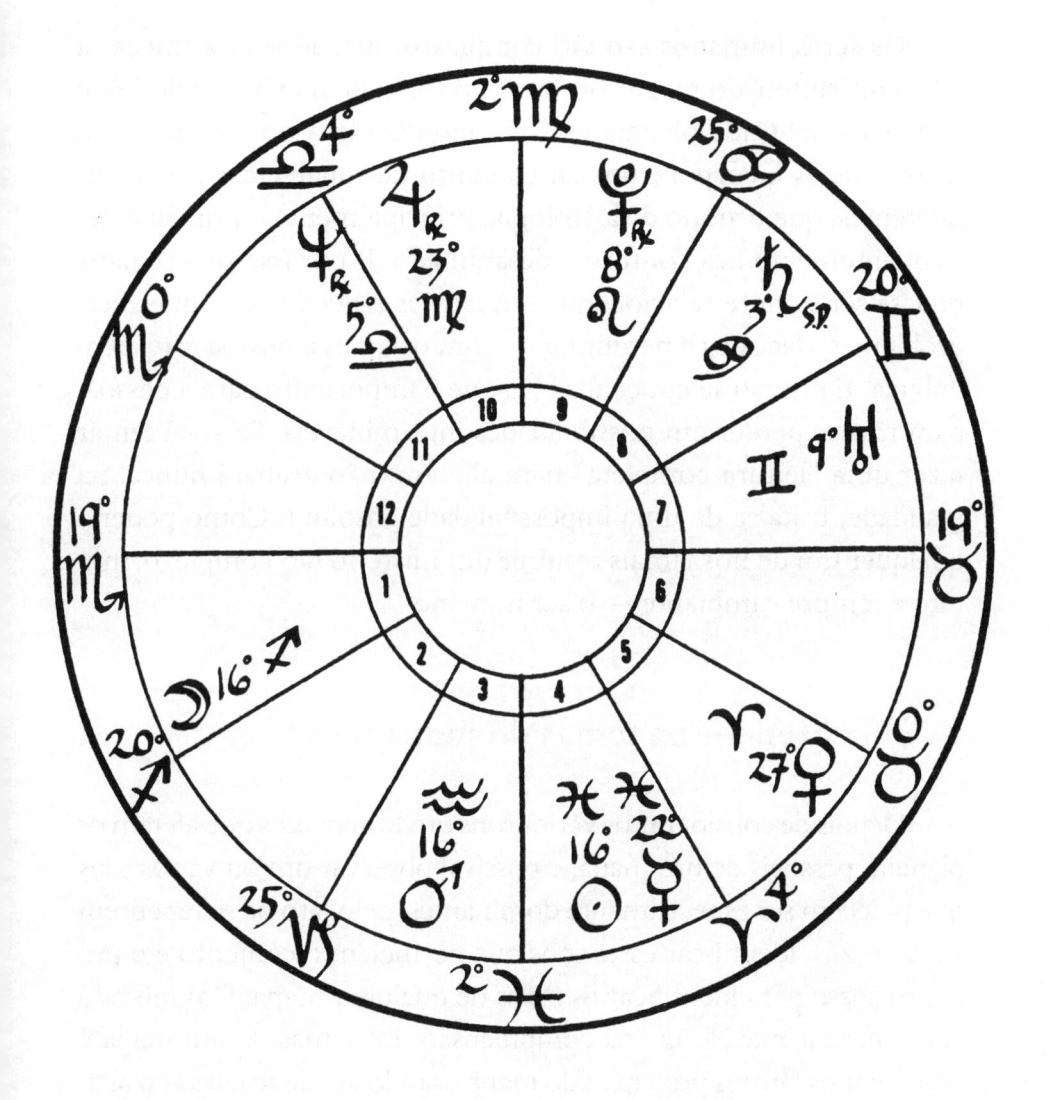

Os seres humanos são tão complexos que, se você começar a falar em "síntese do mapa" ou "interpretação do mapa" aonde é que vamos parar? Cada planeta está tão interligado a outros fatores, e muitas vezes incorpora um tal conjunto de tonalidades e matizes diferentes, que o aluno de astrologia, principalmente o principiante, frequentemente fica confuso e desanimado. É por isso que o mapa precisa ser sempre relacionado com fatores específicos — questões, problemas, decisões e perguntas — com os quais a pessoa esteja envolvida. É preciso se concentrar no que é importante para a pessoa, para não se perder em possibilidades intermináveis. Se você tentar fazer uma "leitura completa" para alguém, não acabará nunca; na realidade, trata-se de uma impossibilidade absoluta. Como poderia qualquer um de nós jamais resumir um mistério tão complexo, infinito e sempre cambiante — o ser humano?

Como entender os temas do mapa natal

Depois de considerar os vários tons predominantes que afetam os planetas pessoais de um mapa, é possível observar um ou vários tons que parecem ser especialmente dominantes, pelo fato de se repetirem várias vezes. Identificar esses tons que permeiam o conjunto é o primeiro passo para identificar os *temas* de qualquer mapa. Um método eficaz para ir mais longe na compreensão dos temas de um mapa é combinar os fatores principais do mapa usando as "doze letras do alfabeto astrológico"* em todas as suas combinações, e ver que combinações (ou "intercâmbios") se repetem significativamente.

* Creio que Zipporah Dobyns (doutora em psicologia) foi quem primeiro popularizou o conceito das "12 letras do alfabeto astrológico", um conceito unificador que verifiquei ser extremamente útil para simplificar a interpretação de mapas, e principalmente para ensinar a síntese do mapa em meus cursos.

O alfabeto astrológico é basicamente o seguinte:

Letra 1: Áries, Marte e a 1ª casa
Letra 2: Touro, Vênus e a 2ª casa
Letra 3: Gêmeos, Mercúrio e a 3ª casa
Letra 4: Câncer, Lua e a 4ª casa
Letra 5: Leão, Sol e a 5ª casa
Letra 6: Virgem, Mercúrio e a 6ª casa
Letra 7: Libra, Vênus e a 7ª casa
Letra 8: Escorpião, Plutão e a 8ª casa
Letra 9: Sagitário, Júpiter e a 9ª casa
Letra 10: Capricórnio, Saturno e a 10ª casa
Letra 11: Aquário, Urano e a 11ª casa
Letra 12: Peixes, Netuno e a 12ª casa

Por exemplo: se alguém tem no seu mapa Marte em Escorpião (intercâmbio entre as letras astrológicas 1 e 8, dessa forma matizando ou *tonalizando* a expressão de energia de Marte com uma qualidade plutoniana) e, além disso, um aspecto reduzido Marte-Plutão (outro intercâmbio entre as letras 1 e 8), há uma dupla ênfase na mesma combinação de energias; por conseguinte, a expressão da energia de Marte será fortemente caracterizada pelas qualidades plutonianas. Se Marte também estiver na 8ª casa, ou se Plutão estiver na 1ª casa, esse tema será ainda mais predominante.

Outro exemplo que pode ajudar a explicar esse estilo de análise, principalmente para os alunos de astrologia de nível básico e médio: suponha que alguém tenha Mercúrio em Capricórnio. A sintonia dessa pessoa com a mente consciente compartilhará inevitavelmente algumas qualidades *fundamentais* com *todas as outras* que têm esse posicionamento de Mercúrio. Mas suponha que essa pessoa em especial também tenha Saturno em aspecto reduzido com Mercúrio. Isto dá duas ênfases diferentes ao mesmo tema: um intercâmbio de letras (ou princípios) astrológicos 3 e 10 (ou entre 6 e 10, caso a dimensão virginiana de Mercúrio pareça ser forte no caso dessa pessoa). Com essa dupla ênfase na mesma dinâmica fundamental, sabemos que essa pessoa terá forte propensão a lidar com detalhes precisos, a ter um modo de pensar sério e prático, a sofrer de tensão nervosa e a empenhar-se com afinco para se certificar de suas ideias. Se essa pessoa tiver outros fatores no mapa natal que também representem intercâmbios entre esses mesmos princípios (tal como Mercúrio na 10ª casa ou Saturno na 3ª ou na 6ª casas), esse tema será ainda mais predominante na sua vida; o astrólogo, portanto, pode saber com certeza que este deverá ser um dos temas maiores a analisar na consulta.

Outra área de interpretação e síntese do mapa em que os alunos de astrologia encontram dificuldade é toda a questão de *configurações* entre muitos planetas, envolvendo uma série de aspectos diferentes. Em última análise, somente anos de experiência e prática permitirão ao aluno superar esse obstáculo aparentemente intransponível, pois é preciso desenvolver a capacidade de ver as configurações do mapa como um todo e de *combinar* os sentidos de todos os planetas envolvidos nessas combinações tão complexas. Entretanto, muitos manuais estão de tal modo cheios de teorias abstratas sobre as várias configurações (grande trígono, cruz-T, grande cruz, papagaio etc.) que fazem o processo todo parecer muito mais difícil do que realmente é. O que se ignora, em geral, é o fato de que todos esses diferentes fatores e detalhes simplesmente simbolizam facetas de *uma pessoa viva e íntegra*. Nessas configurações, há duas coisas básicas a ter em mente, que são muito mais importantes do que o tipo exato de configuração envolvido:

a) Em vez de pôr em evidência o tipo de configuração em questão (por exemplo, grande trígono, yod, papagaio etc.), em primeiro lugar é preciso entender o significado dos *planetas* envolvidos e de seus intercâmbios específicos com os outros planetas da configuração. Dessa forma, é possível combinar esses significados de um modo que reflita com precisão a maneira como a pessoa realmente *vive* essas energias. *Qualquer uma* das configurações tradicionais pode ser produtiva e criativa — a despeito das crenças em contrário — visto que *todas elas* representam *interações particularmente intensificadas* das energias e dos princípios simbolizados pelos planetas envolvidos. Em segundo lugar, é preciso combinar as energias dos signos envolvidos na configuração.

b) Acima de tudo, é preciso voltar a atenção para qualquer planeta pessoal (ou para o ascendente) envolvido numa configuração, porque esse fator simboliza o modo mais imediato de expressão das energias do *conjunto* da configuração, além de revelar uma dimensão do ser individual que em geral é, no mínimo, parcialmente consciente e, portanto, tem impacto direto sobre a experiência do dia a dia. As pessoas são capazes de se *identificar* com o significado de um planeta pessoal e, portanto, serão mais capazes de entender, e talvez modificar, a expressão dessa energia.

Por último, insistiram para que eu incluísse neste livro um *esboço de interpretação de mapa* simples e sistemático, relacionando uma sequência de etapas que os principiantes poderiam seguir para tentar entender qualquer mapa. Embora a "síntese do mapa" não evolva do simples acompanhamento de uma sequência de diretrizes, os principiantes no estudo da astrologia precisam, de fato, ter algum ponto de partida com uma abordagem inteligente, passo a passo, da interpretação. Dessa forma, adaptei um esboço que usei em muitos cursos de astrologia para principiantes.

Seguir uma abordagem sistemática dessas não deixa de ter seus inconvenientes; na realidade, desde que a pessoa tenha absorvido uma boa quantidade de conhecimento astrológico, ela irá sintonizar-se naturalmente com os temas maiores da vida e do mapa em consideração, respondendo a certas perguntas que o cliente pode fazer, pondo em evidência alguns fatores do mapa, dando menos ênfase a outros. Entretanto, isso vem com a experiência. Como eu disse anteriormente, as pessoas realmente precisam de um ponto de partida, e esse esboço, no mínimo, fará com que elas se voltem para os fatores *maiores* do mapa, mantendo-se abertas à natureza holística de todos os mapas e às possibilidades de sintetizar mapas.

O esboço contém uns poucos fatores e termos relativos a mapas que não foram explicados neste livro, mas cujo significado o leitor encontrará sem problemas em qualquer das enciclopédias astrológicas ou nos principais manuais. Está fora de escopo deste trabalho mencionar todos esses fatores tradicionais. Pode-se encontrar uma excelente explicação de praticamente toda a terminologia astrológica na *Encyclopaedia of astrology* de Nicholas DeVore, uma obra extremamente inteligente e abrangente.

Esboço de interpretação de mapas

I. O MAPA COMO UM TODO

   A. *Preponderância e deficiência mostrada pelas posições dos planetas.*

   1. Por posição em signo

      a) Elemento (Signos de Fogo, Terra, Ar e Água)

      b) Quadruplicidade (Signos cardeais, fixos e mutáveis)

   2. Por posição em casa

      a) Angular, sucedente e cadente

      b) Casas de Fogo, Terra, Ar e Água

   B. *Observe o padrão geral do mapa; use a sua intuição para ver o mapa como um diagrama de padrões de energia. Tome nota imediatamente de quaisquer conglomerados de planetas ("Stellium"), que dão forte ênfase a determinados signos e casas.*

II. OS PRINCIPAIS COMPONENTES DA ESTRUTURA DO MAPA

A. *Usando o alfabeto astrológico, observe os temas maiores resultantes. Investigue qualquer tonalidade que parecer particularmente predominante.*

B. *Padrões de aspectos predominantes e configurações maiores (grande trígono, cruz-T, qualquer Stellium, aspectos múltiplos entre uma série de planetas entre dois signos etc).*

III. OS "LUMINARES"

A. *Compatibilidade entre o Sol e a Lua por elemento.*

B. *O Sol.*

1. Signo
2. Casa
3. Aspecto(s) mais reduzido(s)

C. *A Lua.*

1. Signo
2. Casa
3. Aspecto(s) mais reduzido(s)

IV. OS ÂNGULOS (É PRECISO TER CERTEZA SOBRE O HORÁRIO DE NASCIMENTO PARA USAR ESSES FATORES.)

A. *Observe particularmente quaisquer conjunções com o* ASC *ou com o meio do céu; esses planetas invariavelmente são "fortes" e têm sua intensidade ampliada.*

B. *O ascendente.*

1. Signo e compatibilidade com o signo do Sol por elemento
2. Aspecto(s) mais reduzido(s)
3. Posição por signo e casa do planeta regente do ASC, bem como seus aspectos mais reduzidos

C. *O meio do céu.*

1. Signo

2. Aspecto(s) mais reduzido(s)
3. Posição por signo e casa do planeta regente do MC

V. TÉCNICAS TRADICIONAIS PARA AVALIAR OS PLANETAS

A. *Planetas fracos ou fortes por posicionamento em signo (planetas em "dignidade", "queda", "exaltação" ou "detrimento").*

B. *Planetas fracos ou fortes por posicionamento em casa (por ex., um planeta em sua casa, com a mesma letra do alfabeto astrológico, é sempre particularmente forte).*

C. *Observe o planeta regente do signo do Sol, sua casa, seu signo e seus aspectos.*

VI. COMPONENTES QUE ARTICULAM A ESTRUTURA DO MAPA

A. *Veja a quadratura ou oposição mais reduzida envolvendo um planeta pessoal, indicador de um desafio primordial na vida, que exige esforço da pessoa e que pode dar-lhe uma nova consciência.*

B. *Veja todas as conjunções com planetas pessoais, bem como outros aspectos reduzidos com os planetas pessoais, seus signos e casas.*

C. *Qualquer planeta na 1ª casa é sempre forte; quanto mais próximo do ASC, maior a sua força (inclusive quando está perto do ASC no lado da 12ª casa).*

D. *A posição de Saturno por casa é sempre importante.*

GRUPO EDITORIAL PENSAMENTO

O Grupo Editorial Pensamento é formado por quatro selos:
Pensamento, Cultrix, Seoman e Jangada.

Para saber mais sobre os títulos e autores do Grupo
visite o site: www.grupopensamento.com.br

Acompanhe também nossas redes sociais e fique por dentro dos próximos lançamentos, conteúdos exclusivos, eventos, promoções e sorteios.

f / 📷
editoracultrix
editorajangada
editoraseoman
grupoeditorialpensamento

Em caso de dúvidas, estamos prontos para ajudar:
atendimento@grupopensamento.com.br

Pensamento Cultrix SEOMAN JANGADA
GRUPO EDITORIAL PENSAMENTO